La France du XIXᵉ siècle

(1815-1914)

La France du XIXe siècle

(1815-1914)

Pierre Albertini
Professeur en classe de première supérieure
au lycée Condorcet à Paris

hachette
SUPÉRIEUR

Illustration de couverture : Eugène Delacroix, *Le 28 Juillet. La Liberté guidant le peuple* (1830), Musée du Louvre.

Table des matières

Introduction

La France est, pendant tout le XIXe siècle, une nation originale sur le continent européen. Elle a hérité des siècles précédents une population nombreuse, majoritairement catholique et majoritairement rurale, une tradition de centralisme, des élites riches, cultivées et sociables.

Mais la rupture révolutionnaire et la reconstruction napoléonienne (1789-1815) ont entraîné l'émergence de nouveaux principes politiques et de nouvelles références collectives (dont la croyance au progrès), la diffusion de certains comportements privés originaux (dont le contrôle des naissances), un renforcement des pouvoirs de la bourgeoisie aux dépens de l'aristocratie.

La France du XIXe siècle français fut très largement à l'image de ce double héritage paysanne et bourgeoise, peuplée et malthusienne, bien pensante et libérale. Les phénomènes nouveaux constatables au XIXe siècle, urbanisation et industrialisation, développement des classes moyennes et apparition d'une classe ouvrière, ne doivent jamais faire oublier ces données de base. La synthèse française ne va d'ailleurs pas sans faiblesses, qu'il s'agisse de la situation démographique, du déclassement industriel par rapport à l'Allemagne et aux États-Unis après 1870, des timidités de la législation sociale ou de la dureté des conditions de vie du plus grand nombre, à la campagne comme à la ville.

Tout compte fait, c'est l'originalité de sa vie politique qui singularise le plus fortement le pays des coups d'État et des révolutions (1830, 1848, 1851, 1870-1871) aux yeux de ses voisins, et c'est cette prééminence du politique dans l'histoire de la France au XIXe siècle qui a dicté la structure de notre plan.

Une première étape correspond à la monarchie censitaire (1815-1848), quand seules les élites votent, légifèrent et gouvernent, mettant en place cependant un parlementarisme appelé à leur survivre. Ensuite vient un temps d'apprentissage du suffrage universel (entre 1848 et 1877), apprentissage difficile (il se fait à travers trois régimes différents et n'empêche pas l'explosion des dernières révolutions sanglantes de notre histoire) mais assorti de mutations décisives de l'opinion publique (la fin de la reconquête catholique, la dissociation de l'idée républicaine d'avec la Terreur). En 1877, avec l'arrivée au pouvoir des «opportunistes», la République s'installe définitivement, accélérant le déclin des forces qui lui avaient été hostiles pendant la plus grande partie du XIXe siècle (Église, noblesse, droite monarchiste) et renforçant, en particulier par l'École, le sentiment qu'ont les Français d'appartenir à une communauté humaine originale.

chapitre 1

Les débuts du parlementarisme (1815-1848)

De 1815 à 1848, le système politique de la France est dit censitaire : seuls ceux qui payent un minimum d'impôts (le cens) ont le droit de vote, et un autre seuil, plus élevé encore, détermine le droit de se présenter aux élections. Deux régimes censitaires se succèdent : la Restauration (c'est-à-dire la restauration des Bourbons, puisque règnent l'un après l'autre deux frères de Louis XVI : Louis XVIII de 1815 à 1824, Charles X de 1824 à 1830) et la monarchie de Juillet issue, comme son nom l'indique, de la révolution de Juillet 1830, et qui ne compte qu'un seul règne, celui de Louis-Philippe Ier, « roi des Français ».

A− La Restauration (1815-1830)

La défaite de Waterloo, le 18 juin 1815, a pour conséquence, après quinze mois d'une chronologie politique troublée (première Restauration et Cent-Jours), le départ de Napoléon pour Sainte-Hélène et le retour définitif de Louis XVIII sur le trône de France. D'entrée de jeu se dessine une ambiguïté qui, à terme, sera négative pour la monarchie : la France est le principal vaincu de la grande coalition qui, au congrès de Vienne, dessine l'Europe du premier XIXe siècle, mais le roi de France fait partie du camp des vainqueurs. Louis XVIII, qui a vécu en exil de 1791 à 1814, est en effet rentré dans les fourgons de l'ennemi et entend « renouer la chaîne des temps », en oubliant « tous les maux qui ont affligé la patrie durant [son] absence » – d'où, symbole révélateur, le retour au drapeau blanc. N'imaginons pas pour autant que les Français lui soient immédiatement hostiles : outre que beaucoup d'entre eux ont été bien peu révolutionnaires, plus de vingt années de guerre et de blocus ont épuisé le pays, ruiné sa façade atlantique si prospère à la fin du XVIIIe siècle, provoqué de lourdes pertes dans la jeunesse masculine (au moins un million de morts). Louis XVIII n'a aucun mal à se présenter comme le roi pacifique remplaçant l'usurpateur belliqueux.

1. Régime et classe politique

Par ailleurs, le même Louis XVIII a pris la précaution, dès son premier retour, en 1814, d'octroyer à ses sujets une Charte qui garantit les principaux acquis de la Révolution française : liberté de conscience et d'opinion, pluralité des pouvoirs, caractère électif d'une des deux chambres, légitimité de la possession des biens nationaux (biens d'Église et biens d'émigrés vendus dans la période révolutionnaire). D'entrée de jeu, la monarchie s'impose la gageure de concilier deux univers juridiques et symboliques inconciliables. La religion en offre un bon exemple : tous les cultes sont libres, mais seul le catholicisme est «la religion de l'État» (article 6). Ce compromis, où la nostalgie est constamment bridée par le réalisme, finira par ne satisfaire personne.

Le régime politique qui se met en place en 1814-1815 n'est que partiellement constitutionnel – la «divine providence» est à dessein mise en tête de la Charte, et le mot même de charte a été choisi pour son origine royale et médiévale, indépendante du peuple et des Lumières –, et il est encore moins parlementaire : les ministres dépendent du roi seul et ne sont pas responsables devant la chambre élue, qui a des pouvoirs globalement limités, bien inférieurs à ceux des assemblées révolutionnaires ; l'initiative des lois appartient au roi. Les députés, qu'ils soient libéraux, modérés ou ultras, s'efforcent d'ailleurs très vite de défendre les prérogatives de la chambre basse, et une bonne partie des débats de la Restauration tourne autour de l'épineuse question du partage des pouvoirs.

Par ailleurs, les conditions de cens sont draconiennes : en vertu de la Charte, seuls sont électeurs les hommes de plus de trente ans qui paient plus de 300 F d'impôts directs par an. Le taux de la fiscalité directe étant alors relativement léger (il n'y a pas d'impôt sur le revenu avant 1917), on ne trouve au-dessus de ce seuil que 100 000 individus. Ce qui signifie que 99 % des adultes masculins se voient refuser le droit de vote. Il est vrai que la monarchie s'inspire ici de ceux des règlements électoraux qui, depuis 1791, distinguent entre citoyenneté et corps électoral. Le peuple fait peur, et seuls des propriétaires cossus (le cens repose davantage sur le foncier que sur les valeurs mobilières), disposant de moyens d'informations et de vastes loisirs, semblent pouvoir accéder à la conscience de l'intérêt général. La loi du double vote, en 1820, favorise encore, à l'intérieur de cette frange déjà très réduite, le quart le plus imposé, qui vote deux fois : la première dans le cadre de l'arrondissement, la seconde dans le cadre du département. L'éligibilité à la chambre basse est encore plus sélective que le droit de suffrage puisque le cens est ici fixé à 1 000 F (âge minimum de 40 ans) : aussi n'y a-t-il, en 1828, que 14 000 éligibles potentiels dans un pays de trente millions d'habitants.

On ne sera donc pas surpris de l'étroitesse de la classe politique sous la Restauration : les modalités même des élections, au chef-lieu, par un collège électoral rassemblé pour plusieurs jours, renforcent l'effet de «club». À l'intérieur de cet univers de notables censitaires, la noblesse ancienne, officiellement reconnue par la Charte, se taille d'ailleurs une place de choix : elle fournit la moitié de la Chambre ultra, dite «introuvable», de 1815, et 58 % de la Chambre de 1821. Elle est bien évidemment majoritaire à la Chambre des pairs, dont les membres, viagers ou héréditaires, sont nommés par le roi. On peut d'ailleurs souligner que cet univers fort étroit a manifesté une grande liberté d'opinion, et finalement beaucoup d'esprit de résistance : la liberté de la presse dans notre pays doit beaucoup à Chateaubriand et à ses amis.

Un mot pour finir des souverains et de leur entourage : Louis XVIII et Charles X sont deux frères de Louis XVI (dont le fils, Louis XVII pour les royalistes, a disparu en 1795). Louis XVIII, ancien comte de Provence, est rentré à Paris dès le 3 mai 1814, mais a dû fuir de nouveau à Gand au moment des Cent-Jours (avril-juillet 1815); obèse, podagre et tatillon en matière d'étiquette, c'est cependant un homme intelligent et habile : il a su alléger pour la France les conséquences diplomatiques de Waterloo et croit sincèrement possible une réconciliation nationale. Son successeur à partir de 1824, Charles X, ancien comte d'Artois, a de plus belles apparences mais il est idéologiquement beaucoup plus raide : émigré précoce (dès juillet 1789), partisan d'une restauration catholique, il est très antilibéral. Si Louis XVIII n'a pas d'enfant, Charles X a deux fils, les ducs d'Angoulême et de Berry : l'aîné forme un couple stérile avec sa cousine germaine, fille de Louis XVI et de Marie-Antoinette, la sévère Madame Royale, qui restaure aux Tuileries l'étiquette de Versailles; le duc de Berry et sa femme, assez légère, jettent une touche de couleur dans cet univers un peu confiné, jusqu'à l'assassinat du duc, en 1820.

2. Chronologie politique de la restauration

La chronologie politique de la Restauration peut être brièvement esquissée : l'été et l'automne 1815 virent une véritable Terreur blanche, particulièrement forte dans les vieux pays de contre-Révolution (Vendée, Bretagne, Maine) et dans le Midi. À l'annonce de Waterloo, les passions se déchaînèrent contre les représentants de l'Empire (le général Brune en Avignon) ou les bénéficiaires de la Révolution (la bourgeoisie protestante à Nîmes). À ces émotions criminelles s'ajouta la «Terreur blanche légale», voulue par la majorité ultra de la chambre de 1815 et lisible dans l'institution de juridictions d'exception (les «cours prévôtales») et dans la «loi d'amnistie» du 2 janvier 1816, dure aux relaps, et qui permit la même année l'exécution du maréchal Ney. Le ministère Richelieu épura l'administration et l'armée, mais dut vite résister à des députés maximalistes qui réclamaient la peine de mort pour la détention d'un drapeau tricolore !

→ De 1816 à 1820

Tandis que des libéraux de plus en plus nombreux parviennent à se faire élire députés (dont en 1818, La Fayette et Benjamin Constant), le gouvernement est aux mains de royalistes modérés que l'historiographie appelle les «constitutionnels». Ces hommes, qui mènent une politique de reconstruction, veulent l'application loyale de la Charte, rejetant les rêveries revanchardes des ultras tout comme la plupart des idées révolutionnaires. C'est l'époque des grandes lois libérales : loi militaire de Gouvion-Saint-Cyr en 1818, permettant la réintégration des anciens soldats de l'Empire ; loi de Serre sur la liberté de la presse en 1819, confiant les procès de presse au jury et non au tribunal correctionnel.

→ De 1820 à 1827

C'est la période de retour de balancier en faveur des ultras. L'assassinat du duc de Berry, neveu de Louis XVIII, provoque une émotion considérable et la mise en accusation de tout ce qui de près ou de loin s'apparente au libéralisme («le poignard qui a tué le duc de Berry est une idée libérale», Chateaubriand). L'avènement du pieux Charles X (1824), qui estime nécessaire de se faire sacrer à Reims dans les formes (ce dont Louis XVIII s'était abstenu), va dans le même sens. Aussi la période voit-elle un certain nombre de mesures limitatives des libertés publiques (suspension de la liberté individuelle en cas de présomption de complot, loi restrictive sur la presse), favorables aux élites les plus traditionnelles (loi du double vote en 1820, loi indemnisant les émigrés dite du «milliard des émigrés en 1825) ou en contradiction avec la liberté de conscience (nomination de Mgr Frayssinous comme Grand Maître de l'Université en 1822 ; loi du sacrilège, punissant de mort la profanation des tabernacles en 1825). Ce faisant, le ministère, d'abord conduit par Richelieu, puis par Villèle, manifeste sa méfiance à l'égard de la société globale, se condamne à rétrécir encore davantage la base politique déjà excessivement étroite du régime, fait craindre à beaucoup de bourgeois modérés (voltairiens, protestants, détenteurs de biens nationaux) une dérive intolérante, réactionnaire et cléricale qui remettrait en question le compromis fragile de 1814. Aussi cette politique suscite-t-elle plusieurs oppositions.
Une *première opposition*, principalement anticléricale, assez bourgeoise, s'exprime essentiellement par la satire, la caricature et la chanson (c'est celle d'un Paul-Louis Courier ou d'un Béranger). Elle a pour cibles favorites les jésuites et la Congrégation, réseau huppé de catholiques intransigeants, qui alimente de nombreux fantasmes par ses connexions avec la société secrète des Chevaliers de la foi. Elle peut s'exprimer plus directement dans les revues de la garde nationale de Paris : en 1827, les jésuites et les ministres y sont à ce point hués que Charles X décide la dissolution immédiate de la milice bourgeoise.

Une *autre opposition*, cette fois-ci clandestine et violente, anime les sociétés secrètes antimonarchiques et en particulier la Charbonnerie, d'origine italienne : on y trouve, à son apogée, des étudiants, des militaires et quelques notables bonapartistes ou républicains ; au total 30000 membres, très soigneusement organisés. Cela dit, la répression qui s'abat sur la Charbonnerie en 1822 (affaire des « quatre sergents de La Rochelle », exécutés en décembre), tout en renforçant sa popularité, paralyse son action.

Dernière opposition, celle qui, légale et de bon ton, s'exprime dans les deux chambres et, singulièrement, dans celle des pairs, où l'on trouve Chateaubriand, dans l'opposition depuis qu'il a quitté le ministère des Affaires étrangères, en 1824. Ce sont les pairs qui font capoter plusieurs projets de loi réactionnaires en 1826-1827 ; loi dite « du droit d'aînesse », loi dite, par antiphrase, « de justice et d'amour », restreignant un peu plus la liberté de la presse.

→ De 1828 à août 1829

De janvier 1828 (chute de Villèle) à août 1829, le gouvernement est contraint de se recentrer, c'est-à-dire de faire quelques concessions aux libéraux, en raison des déboires électoraux des « ministériels » : c'est l'intermède Martignac, au cours duquel les jésuites sont interdits d'enseignement (juin 1828), tandis que la législation sur la presse est sensiblement libéralisée (juillet 1828).

→ L'année 1829-1830

Elle voit l'échec de la reprise en mains royale. Charles X, excédé en effet par la politique de Martignac, a confié en août 1829 la direction des affaires à son ami Jules de Polignac. Celui-ci, ultra convaincu, fils d'une favorite de Marie-Antoinette, membre de la Congrégation, est une des personnalités les plus intolérantes et les plus impopulaires du royaume, et mène une véritable politique de réaction aristocratique : gouvernement, haute administration, épiscopat redeviennent la chasse gardée de la vieille noblesse. Dès lors, le conflit entre le ministère et la Chambre est inévitable. Il se profile dès l'adresse lue au roi, le 18 mars 1830, par Royer-Collard qui dénonce l'absence de concours entre le gouvernement et « les vœux du peuple » et provoque ainsi une dissolution de la Chambre, sans effet positif pour le ministère, bien au contraire. Le conflit éclate au grand jour dans les ordonnances publiées par Charles X, le 26 juillet 1830, lorsque le roi, se fondant sur l'article 14 de la Charte, prétend suspendre la liberté de la presse, dissoudre la Chambre nouvellement élue, restreindre encore le corps électoral. Alors éclate la révolution de 1830.

→ **Les Trois Glorieuses**

Les Trois Glorieuses (27-29 juillet 1830) sont en effet la réponse de Paris aux ordonnances. Les premiers à prétendre leur résister sont ceux qu'elles visaient au premier chef, à savoir les journalistes et les typographes de la capitale, et en particulier du National, principal journal d'opposition. Le 27, on passe du refus d'obéissance à l'émeute, avec les premières barricades. Le 28, c'est la révolution : les armureries sont pillées et la troupe fraternise avec les insurgés, qu'encadrent d'ailleurs des élèves de l'École polytechnique. Le 29, plusieurs lieux-clés tombent entre leurs mains, et les troupes restées fidèles au roi refluent vers l'ouest. Ayant essuyé le gros des pertes (2 000 morts), les républicains sont maîtres de la rue et désignent le mythique La Fayette comme chef de la garde nationale reconstituée de Paris. Mais la révolution, « arrêtée à mi-côte » selon le mot de Victor Hugo, leur échappe : craignant des débordements à gauche, Thiers et les libéraux font valoir en effet que la seule solution viable, à l'intérieur comme à l'extérieur, est la monarchie constitutionnelle, et que la seule dynastie susceptible d'en jouer le jeu est celle des Orléans. Charles X gagne l'Angleterre, puis le château de Prague, où il vivra un exil plein de tristesse et de dignité. L'expédition d'Alger (1830), qui marque le début de la colonisation française en Afrique du Nord, ne change rien au destin du régime.

La Restauration a-t-elle vraiment mérité son nom ? La France des années 1815-1830 n'est pas revenue à l'Ancien Régime. Ni la société d'ordres, ni les privilèges provinciaux, ni la monarchie absolue n'ont été véritablement restaurés. L'égalité des Français devant la loi, l'impôt, l'accès aux emplois civils et militaires, quelle que fût leur naissance ou leur confession, a été maintenue sinon dans les faits du moins en droit. L'uniformité juridique du territoire national n'a pas été altérée malgré les velléités centrifuges de certaines provinces contre-révolutionnaires. Un système représentatif a fonctionné, avec bien des limites et des dissolutions, certes, mais sans interruption : *volentes nolentes*, les derniers rois Bourbons ont dû tenir compte de l'opinion.

Cela dit, leurs nostalgies n'étaient que trop visibles, en particulier à la cour où une coterie d'anciens émigrés, centrée sur la duchesse d'Angoulême, jouait un rôle important. Elles ont fini par susciter la défiance de la bourgeoisie libérale et l'hostilité de la jeunesse étudiante : le romantisme, d'abord ultra par goût du Moyen Âge, est passé à gauche, derrière Victor Hugo, à la fin des années 1820. Et comme le régime n'a jamais eu en profondeur la sympathie du peuple de Paris, ses partisans, trop ruraux, trop lointains, ne lui ont été d'aucun secours dans l'épreuve décisive.

B - La monarchie de Juillet (1830-1848)

Louis-Philippe d'Orléans n'a dû son avènement qu'aux intrigues de libéraux modérés qui voulaient empêcher à toute force la solution républicaine, à leurs yeux maculée des souvenirs criminels de la Terreur. Ces hommes, parmi lesquels Odilon Barrot, ont réussi à persuader La Fayette de renoncer à la République et d'investir publiquement Louis-Philippe; ce qu'il fait en l'embrassant au balcon de l'Hôtel de Ville dans les plis d'un drapeau tricolore (31 juillet). Une semaine plus tard, les Chambres déclarent le trône vacant, ne tenant donc aucun compte de l'abdication de Charles X en faveur de son petit-fils, le duc de Bordeaux, fils posthume du duc de Berry. Enfin, le 9 août, Louis-Philippe, proclamé roi des Français, prête serment à la Charte révisée. La Charte, en effet, ne peut plus convenir sous sa forme de 1814, et un député, Bérard, s'est chargé de l'adapter au nouveau cours des choses.

1. Louis-Philippe, roi des français

En vertu de la Charte révisée, Louis-Philippe n'est pas roi de France mais roi des Français (c'était d'ailleurs un retour au titre de Louis XVI dans la Constitution de 1791). La nouvelle définition du monarque, désormais second par rapport à son peuple et héritier de la Révolution, explique la disparition du préambule de 1814 (le régime n'est plus octroyé par le roi, mais émane de la volonté de la nation) tout comme le contenu de l'article 67 («la France reprend ses couleurs; à l'avenir, il ne sera plus porté d'autre cocarde que la cocarde tricolore»). On notera au passage le jeu de discours, constant dans la France du XIXe siècle, qui vise à faire apparaître le régime précédent comme une simple parenthèse.

Pour le reste, la Charte révisée manifeste une nouvelle conception de la séparation des pouvoirs, favorable aux Chambres, qui partagent désormais avec le roi l'initiative des lois, et une plus grande confiance à l'égard de la société civile. La loi électorale de 1831 en tirera les conséquences en abaissant le cens (le cens électoral passe de 300 F à 200 F, et même à 100 F pour les «capacités», généraux ou membres de l'Institut; le cens d'éligibilité passe de 1 000 F à 500 F), multipliant par deux le pays légal. La loi municipale de 1831 accorde un droit de vote encore plus large, en décidant que, dans les petites villes, les conseils municipaux seront désormais élus par le dixième le plus imposé des citoyens: elle contribue ainsi à «faire descendre la politique vers les masses» (Maurice Agulhon). Les dix-huit années de la monarchie de Juillet correspondent d'ailleurs à la stabilisation et à l'apogée du parlementarisme censitaire: on ne retouche plus la loi électorale après 1831; les élections ont lieu à intervalle à peu près régulier, la chambre basse renforce ses prérogatives (adresse annuelle au roi).

Cela dit, Louis-Philippe a d'entrée de jeu un grave problème de légitimité. Fils du régicide Philippe-Égalité, il n'est pas reconnu par les fidèles de Charles X : début août, les deux tiers des pairs – dont Chateaubriand – et 40 % des députés refusent de siéger, par attachement à la branche aînée, seule légitime à leurs yeux ; on les appelle désormais « légitimistes ». Cette « émigration de l'intérieur », conjuguée à une vigoureuse épuration, explique le profond renouvellement de la haute fonction publique : la moitié des postes de conseillers d'État, presque toutes les préfectures et les ambassades changent de titulaires. Elle est aussi à l'origine de la séparation, bien repérée par Anne Martin-Fugier et quasi définitive, du « monde » et de la cour. La vie élégante, désormais moins exclusive, investit des lieux neufs : les boulevards, les théâtres et les cafés à la mode, où l'on accède non par la naissance, mais en y mettant le prix.

Le nouveau roi ne manque, à son avènement, ni de popularité ni de qualités : la gauche se souvient qu'il s'est battu dans sa jeunesse au côté de la Révolution (à Jemmapes, en 1792) ; l'opinion libérale lui sait gré de son voltairianisme et de sa simplicité. Très vite se met en place le lieu commun du « roi bourgeois », père de dix enfants, appréciant l'intimité familiale plus que le faste – la vie de cour est réduite à sa plus simple expression –, ami des professeurs et respectueux des ministres. Et c'est encore, après 1848, l'opinion de Tocqueville, affirmant que, « chef de la bourgeoisie, il poussa celle-ci sur la pente naturelle qu'elle n'avait que trop de penchant à suivre. Ils marièrent leurs vices en famille et cette union, qui fit d'abord la force de l'un, acheva la démoralisation de l'autre et finit par les perdre tous les deux ».

Cette image d'Épinal mérite d'être nuancée. D'abord, « roi grand-bourgeois » serait plus exact : les Orléans, immensément riches, ont été les principaux bénéficiaires des mesures de Charles X en faveur des émigrés, et le roi eut un souci permanent de son patrimoine ; ensuite, il serait faux de penser que la relative simplicité de Louis-Philippe soit le signe d'une renonciation à tout pouvoir personnel ; le roi s'efforce, pendant tout son règne, de tirer discrètement les ficelles depuis « le Château » (les Tuileries), contribuant à la dépolitisation de la vie parlementaire (déjà forte en raison de l'excessive sur-représentation des fonctionnaires à la Chambre) et à l'émergence d'innombrables rivalités de personnes.

2. Les oppositions

→ L'affrontement des partis

À ses débuts cependant, la monarchie de Juillet voit s'affronter deux groupes de parlementaires : le « parti du Mouvement » et le « parti de la Résistance » (le mot de parti doit être pris ici en un sens extrêmement flou, son seul sens réel avant 1900). Le premier regroupe ceux qui, comme Laffitte, estiment que la révolution de 1830 est une promesse, et qu'il faut lui donner un contenu, sinon populaire, du moins social. Le second rassemble ceux, plus nombreux, qui, avec Casimir Perier, Guizot ou le duc de Broglie, considèrent que la révolution de 1830 n'a été qu'une réponse au despotisme de Charles X et de Polignac. Ils réclament le *statu quo* au nom des fragilités intérieures et diplomatiques du nouveau régime, et prétendent qu'un régime de liberté ne saurait être démocratique. Très vite, les seconds l'emportent sur les premiers : Laffitte est remplacé par Casimir Perier à la tête du ministère dès mars 1831. D'où l'image très conservatrice que les historiens retiennent du règne tout entier.

La gauche fut cependant très active au temps de la monarchie de Juillet, en particulier au début du règne. La révolution de 1830 l'avait incontestablement renforcée : Paris venait de renouer avec la tradition de la journée révolutionnaire, reprenant conscience de son poids spécifique dans le pays. La presse avait également prouvé son influence dans l'expression du mécontentement comme dans le processus révolutionnaire, ce qui explique son essor considérable des années 1830-1835, l'une des plus belles périodes du journalisme au XIXᵉ siècle. Enfin, à travers les journées de 1830, dans un contexte d'essor du romantisme *(Hernani* est de la même année), s'était opéré le retour du nationalisme français, imprégné de mythes révolutionnaires et napoléoniens, travaillé de rêves messianiques d'interventions contre la Sainte-Alliance (en Belgique, en Pologne ou en Italie).

→ Les soulèvements populaires

De là l'agitation révolutionnaire qui caractérise les premières années de la monarchie de Juillet. En 1831, la personnalité de l'archevêque de Paris, Mᵍʳ de Quelen, un légitimiste ardent qui prétendait que « non seulement Notre Seigneur Jésus-Christ était le fils de Dieu mais qu'il était par sa mère d'une excellente famille », suscite des violences anticléricales et, pour finir, le sac de l'archevêché. La même année, la révolte des canuts contre leurs patrons nécessite l'envoi à Lyon de 20 000 hommes. En 1832, l'année du choléra (qui accentue la peur sociale), les funérailles du général Lamarque sont l'occasion d'un soulèvement des républicains de Paris, puissamment évoqué par Hugo dans *Les Misérables*. En 1833, la dissolution de la principale association républicaine, la Société des droits de l'homme, n'aboutit qu'à sa transformation en société secrète. En 1834, nouveau soulèvement à Lyon et nouveau soulèvement à Paris, une fois de plus très durement réprimés (massacre de la rue Transnonain). En 1835 enfin, l'attentat de Fieschi contre Louis-Philippe permet au gouvernement de faire voter les « lois de septembre » interdisant la propagande antimonarchiste : comme Armand Carrel est tué peu après dans un duel, on peut parler d'effondrement du mouvement républicain ; le coup de main de Barbès et Blanqui, en 1839, sera le dernier du règne.

Les autres oppositions furent beaucoup moins importantes. Les légitimistes boudèrent dans leurs salons et leurs châteaux, à l'exception de la duchesse de Berry, qui s'efforça vainement de soulever la Vendée en 1832. Les bonapartistes, de plus en plus nombreux au fur et à mesure que s'éloignaient les mauvais souvenirs et que se forgeait la légende impériale (le retour des cendres de l'Empereur eut lieu en 1840 dans un climat de grande ferveur), trouvèrent un chef de file en la personne d'un fils de Louis Bonaparte, le prince Louis-Napoléon, qui tenta, lui aussi en vain, de soulever la garnison de Strasbourg (1836), puis celle de Boulogne (1840), et se retrouva alors en forteresse jusqu'à son évasion réussie de 1846.

Passé 1835, la monarchie de Juillet connaît, en politique, un certain calme, et même une certaine stagnation. Le parti de la Résistance gouverne sans discontinuer. Seuls changent les ministres, en fonction des amitiés et des calculs royaux, et de nuances, quelquefois microscopiques, de doctrine (centre gauche de Thiers favorable au parlementarisme à l'anglaise : «le roi règne mais ne gouverne pas» ; centre droit de Guizot plus favorable à l'autorité royale ; Tiers Parti de Dupin).

3. Le ministère Guizot (1840-1848)

Le principal ministère fut celui de Guizot (1840-1848), bourgeois protestant, professeur d'histoire moderne à la Sorbonne, fils d'une victime de la Terreur, qui s'entendait bien avec le monarque et avait pour seuls objectifs le *statu quo* à l'intérieur et la paix à l'extérieur. Son prédécesseur Thiers étant tombé pour avoir failli provoquer une guerre internationale en soutenant Mehemet-Ali, pacha d'Égypte, contre le sultan et la quasi-totalité des têtes couronnées d'Europe, Guizot eut une politique de complaisance à l'égard des empires centraux ; politique que Lamartine eut beau jeu de dénoncer, en janvier 1848, comme «autrichienne en Piémont, russe à Varsovie, française nulle part, contre-révolutionnaire partout». À l'intérieur, Guizot s'assura une confortable majorité parlementaire par des procédés parfois douteux, qui donnèrent prise aux accusations d'affairisme, ou en imposant à la Chambre la publicité du vote (1845) qui permettait au gouvernement de tenir les députés fonctionnaires. Mais il ne vit pas s'élargir le fossé entre le pays réel et le pays légal (lui-même éclaboussé par quelques affaires retentissantes, dont l'assassinat de la duchesse de Choiseul-Praslin par son mari, en 1847) : au contraire, Guizot refusa avec opiniâtreté la «réforme électorale» (c'est-à-dire tout abaissement du cens) et la «réforme parlementaire» (l'inéligibilité des fonctionnaires). Aux élections de 1846, il préféra même se rallier quelques légitimistes plutôt que de faire la moindre concession à la gauche modérée. La suspension du cours de Michelet au Collège de France, au début de 1848, allait dans le même sens.

4. La révolution de février 1848

La crise de 1846, résultant de la conjonction de la maladie de la pomme de terre, de mauvaises récoltes de céréales, d'une crise industrielle de sous-consommation et d'une crise financière de surinvestissement due à la loi ferroviaire de 1842, renforça la misère, les contrastes sociaux et le mécontentement, à la campagne comme en ville. Les membres de la gauche parlementaire (ou gauche modérée) et les républicains décidèrent alors de lancer dans le pays une campagne de banquets, au cours desquels ils dénoncèrent la suffisance et les insuffisances de Guizot (mai 1847-février 1848). Ce sont des incidents liés à l'interdiction du banquet parisien du 22 février 1848 qui mirent le feu aux poudres et provoquèrent la révolution de Février.

Une manifestation a lieu le 22 février, provoquant un afflux d'ouvriers et d'étudiants venus des faubourgs de l'Est et du quartier Latin dans le quartier de la Madeleine : la troupe garde cependant le contrôle de la situation. Le 23, les troubles persistant, Guizot cherche à faire donner la garde nationale qui s'y refuse : alors qu'elle a semblé l'âme du régime pendant toute la décennie 1830 (en réprimant bien des émeutes), elle est désormais gagnée par l'idéal de réforme électorale et parlementaire, c'est-à-dire par l'idéal des manifestants, et ne veut rien faire qui puisse passer pour une défense de Guizot. Cette défection de la garde nationale oblige Louis-Philippe à lâcher Guizot, qui démissionne. L'incident pourrait être clos, mais des manifestants qui s'étaient rendus sous les fenêtres du ministère pour narguer le vaincu sont tués par des factionnaires. Cette «fusillade du boulevard des Capucines» relance le mouvement insurrectionnel : les cadavres, chargés sur des charrettes, sont promenés à travers la ville pendant toute la nuit, en une sorte d'appel ambulant à la révolte. Au matin du 24, Paris est en révolution : les Tuileries sont attaquées, Louis-Philippe abdique en faveur de son petit-fils, le comte de Paris, avant de prendre à son tour le chemin de l'exil. Un gouvernement provisoire se met en place, qui proclame aussitôt la République et, quelques jours plus tard, le principe du suffrage universel. Ainsi s'achève en France la monarchie censitaire.

C – Bilan politique de la monarchie censitaire

1. Enracinement du parlementarisme

Les années 1830-1848 ont incontestablement permis l'enracinement du système représentatif en France. Napoléon 1er avait ôté tout pouvoir à la Chambre élue (le Corps législatif), convaincu qu'un régime d'assemblée comme celui qu'avait connu la France du Directoire était forcément faible, inefficace et dangereux, et il avait fait du Sénat un cercle peu politique de grands notables couverts d'honneurs.

Sous la Restauration et la monarchie de Juillet, il en va tout autrement. Les prérogatives des deux assemblées sont importantes : vote de la loi et vote du budget puis, à partir de 1830, initiative des lois ; leur vie est très animée : les assemblées comptent d'excellents orateurs, bien formés par l'enseignement classique, et la presse fait d'ailleurs une très large place aux comptes rendus des débats. La France de la monarchie censitaire a ainsi rattrapé une partie de son retard sur l'Angleterre : souvent imitées des pratiques de cette illustre devancière, les règles parlementaires apparues alors – trois lectures successives, vote du budget par section, adresse en réponse au discours du trône – survivront pour la plupart à l'instauration du suffrage universel. Surtout le parlementarisme *stricto sensu* – la responsabilité du gouvernement devant la Chambre, et partant le contrôle de l'action ministérielle par le législateur – s'est imposé après 1830. Sous Louis-Philippe, aucun gouvernement ne s'est maintenu après avoir été mis en minorité.

Enfin, un embryon d'opinion publique s'est développé grâce aux journaux. Les feuilles d'opposition sont florissantes *(Le Journal des Débats* sous la Restauration, *Le National* puis La Réforme sous la monarchie de Juillet), de même que la caricature (citons la célèbre tête en poire de Louis-Philippe par Philippon), et les lois sur la presse sont commentées avec passion. Le journalisme tente alors tous les grands écrivains (Benjamin Constant, Lamennais, Chateaubriand, Paul-Louis Courier) et permet à certains jeunes gens de percer (Thiers, Rémusat). Il connaît une évolution commerciale décisive avec Émile de Girardin, qui crée *La Presse* en 1836 : l'augmentation des ressources publicitaires permet d'accroître les tirages et d'abaisser le prix de vente ; le public s'élargit ainsi à la petite bourgeoisie extra-censitaire.

2. Apparition de deux des principales familles de la droite française : légitimisme et orléanisme

→ **Le légitimisme**

Le légitimisme d'après 1830, qui n'est pas tout à fait l'ultracisme d'avant 1830 (certains royalistes qui n'étaient pas ou plus ultras en 1829 furent légitimistes l'année suivante ; le meilleur exemple est Chateaubriand), est issu de la pensée contre-révolutionnaire. Celle-ci est en profondeur un romantisme politique, fondé sur le motif de la régénération, après l'expérience du mal absolu qu'a été la Révolution française (« le plus haut degré de corruption connu », selon l'expression de Joseph de Maistre). Les Français doivent repartir à zéro en refusant tout compromis avec l'esprit de 1789 ; c'est pour cela que les ultras condamnent la Charte, la liberté de conscience, l'égalité civile.

Le légitimisme est aussi fondé sur la croyance en un ordre naturel du monde, infiniment supérieur à la raison et à la volonté humaine : il faut respecter l'œuvre du temps, les traditions comme les saisons. Cette pensée dévalorise donc toute idée de constitution, au sens où une constitution est une construction humaine, et au sens où elle est le plus souvent une rupture avec la tradition : « toute constitution est un régicide » tonne en chaire l'abbé Rauzan. Pour cette raison, le légitimisme croit que la durée est un facteur essentiel de légitimité. Il valorise les périodes anciennes de l'histoire de France, en particulier le Moyen Âge (d'où le style troubadour des années 1820), et préfère la branche aînée à la branche cadette.

Enfin, les légitimistes développent une pensée organiciste. Ils considèrent que les individus sont pris dans des réseaux de solidarité auxquels il est absurde de s'opposer, et qu'un certain nombre de corps intermédiaires sont indispensables et doivent être défendus : la famille, d'où l'interdiction du divorce, en 1816, qui vaudra jusqu'en 1884 ; la noblesse, protectrice naturelle des paysans et du peuple (ce sera, en plein Second Empire, l'idéologie ingénue de la comtesse de Ségur) ; l'Église, dont la renaissance des années 1815-1860 doit beaucoup au légitimisme. Le pays légitimiste est à l'image de cette idéologie. On y trouve beaucoup de gentilshommes, en particulier la moyenne noblesse de province qui n'a pas de responsabilité dans la chute de l'Ancien Régime (les Villèle, La Bourdonnaye, Clauzel de Coussergues), et les provinces où l'identité catholique est la plus forte (l'Ouest sans les villes, le Languedoc sans les protestants, le Lyonnais sans les quartiers populaires de Lyon). Les valeurs de ce petit monde nous sont bien connues par la littérature (*Béatrix* de Balzac, *Lucien Leuwen* de Stendhal) : sens de l'honneur et du parjure, esprit de clan (allant jusqu'au blocus social et matrimonial contre les orléanistes, que l'on « ne reçoit pas »), action charitable (par l'intermédiaire de la Société de Saint-Vincent-de-Paul et, plus généralement, des sociétés d'oeuvres), fidélité entretenue à la couleur blanche, aux fêtes et aux anniversaires royaux.

3. L'orléanisme

L'orléanisme est, lui, fondé sur une philosophie politique, le libéralisme. En ce sens, pour reprendre la formule de Thibaudet, « l'orléanisme, ce n'est pas un parti, c'est un état d'esprit ». Cet état d'esprit est un empirisme individualiste, issu des Lumières (françaises et anglaises) ; d'où le conflit fondamental de l'orléanisme et du catholicisme intransigeant : l'orléanisme, intellectualiste, relativiste, est anticlérical, antimystique, assez souvent protestant (cf. Guizot, le duc de Broglie marié à Albertine de Staël, Benjamin Constant) ; d'où aussi l'esprit infiniment parlementaire des orléanistes, qui érigent le débat et le compromis en règles permanentes de conduite. Enfin, leur libéralisme va de pair avec une méfiance extrême à l'égard de la démocratie : la démocratie, c'est l'égalité, et les orléanistes considèrent que liberté et égalité sont deux notions antinomiques. Quant à la société orléaniste, on la découvre par soustraction : la noblesse et le clergé ont une pente plutôt légitimiste, même s'il y a de notables exceptions (Molé, Pasquier, les Broglie, pour ne rien dire de la noblesse d'Empire) la paysannerie est soit fidèle aux Bourbons, soit hostile aux notables ; le peuple urbain, plutôt républicain ou bonapartiste ; reste la bourgeoisie, dont l'orléanisme est l'expression politique la plus naturelle. Le pragmatisme orléaniste, en effet, fait de la conduite des affaires publiques la transposition des procédés dont usent les bourgeois pour gérer leur patrimoine. La bourgeoisie lettrée est par ailleurs sensible au lien originel qui attache le régime à la défense des libertés fondamentales : la Sorbonne est orléaniste (Guizot, Cousin, Villemain), tout comme l'École normale et l'Académie française (d'ailleurs pleine de pairs et de députés). Mais d'ores et déjà, pour parler comme Daniel Halévy, « le problème de l'orléanisme, c'est le peuple ».

Le peuple, on le retrouvera du côté du bonapartisme à partir de 1848-1851. Se cristalliseront autour de Louis-Napoléon, le souvenir embelli de l'épopée napoléonienne, le souci aigu de l'ordre public et la recherche d'une plus grande efficacité économique. Cela dit, avant 1848, l'hypothèse bonapartiste paraît peu vraisemblable ; de toutes les pensées qui puissent être rangées à droite, le bonapartisme est celle qui a le plus besoin d'une incarnation singulière.

4. Réémergence de deux utopies : l'idée républicaine et le socialisme

→ Le républicanisme

Entre 1815 et 1848, la République est un peu l'Église des catacombes, avec ses humbles croyants qui attendent sa venue, ses martyrs qui souffrent pour elle (Blanqui, Barbès, les victimes des répressions), ses querelles théologiques (entre modérés, radicaux, socialistes), qui éclateront au grand jour par la suite.

L'essentiel est que, dès la Restauration, alors que la République est un régime honni et que son nom même est tabou, il y ait en France des républicains, vieux révolutionnaires qui n'ont jamais renié leurs idées et dont le prestige un peu sulfureux rassemble des jeunes gens autour d'eux. C'est le cas de l'abbé Grégoire, de Buonarotti (l'ami de Gracchus Babeuf) qui a formé Louis Blanc, de Prieur de la Côte-d'Or qui a formé Cabet, de certains membres de dynasties républicaines (les Cavaignac, les Carnot, les Blanqui), de jeunes étudiants épris d'idéal et d'action clandestine.

Il existe donc très tôt une bourgeoisie républicaine, à Paris comme en province, certes peu nombreuse, mais active et soudée (au moins par les sociétés secrètes, les loges maçonniques, la fréquentation de certains cafés), et qui va avoir tout le loisir d'affiner ses concepts, de réfléchir à l'histoire récente, d'entretenir la flamme. Le républicanisme se définit alors par une soif d'égalité et de justice, un dédain marqué pour les distinctions qui ne viennent pas du mérite personnel, un besoin de contrôle de tous les actes du pouvoir, une haute conscience de la dignité de l'homme et du citoyen qui fait résister à l'arbitraire et s'indigner à l'idée du despotisme.

Après 1830, l'idée républicaine s'enrichit. Sa définition première, politique (un régime sans monarque), se double d'un sens plus social : un régime qui s'efforce d'améliorer le sort du plus grand nombre dont les grandes enquêtes d'hygiénistes, Guépin ou Villermé, soulignent la misère. Ainsi, sur fond de choléra et de répression armée, le républicanisme peut-il cheminer dans le peuple. La Société des amis du peuple, la Société des droits de l'homme éditent des brochures sur l'égalité, sur les questions d'éducation, sur les associations de travailleurs ; elles s'efforcent aussi de recruter par contact direct. La répression elle-même contribue à la diffusion et à la radicalisation du credo : les agitateurs des sociétés secrètes se retrouvent en prison avec des hommes du peuple.

Cela étant, l'idée républicaine reste essentiellement défendue par des bourgeois, moyens et petits, lecteurs du National ou de La Réforme, de Michelet (Le Peuple, Histoire de la Révolution française) ou de Lamartine (Histoire des Girondins), de Dumas et d'Eugène Sue ; il y entre une part de réévaluation de la geste révolutionnaire, une part de pitié et de remords social.

→ **Le socialisme**

Le socialisme ne se distingue pas toujours très bien de la république sociale. Le mot de socialisme apparaît en France au début de la monarchie de Juillet (Pierre Leroux le forge par opposition à individualisme qui commençait alors à avoir cours), à un moment où la France est le principal foyer de ces réflexions et expériences socialistes que les marxistes résumeront plus tard, avec quelque dédain, sous l'expression de « socialisme utopique ». Cette primauté s'explique par plusieurs facteurs : l'importance de la réflexion sur la propriété et l'inégalité en France au XVIIIe siècle (de Rousseau à Babeuf); le legs de la Révolution qu'est la remise en cause des inégalités, du libéralisme économique et de la propriété privée (cf. les sans-culottes, le maximum, le babouvisme) ; la conscience assez précoce en France de la nouvelle forme de misère créée par l'industrie, de l'asservissement des plus faibles généré par le régime des libertés formelles. Avant 1848, l'essentiel de l'influence socialiste en France se trouve chez les saint-simoniens, les fouriéristes et les communistes.

Saint-Simon est un gentilhomme des Lumières, né en 1760, qui a accueilli avec enthousiasme la Révolution française. Il croit fondamentalement que la valeur des individus réside dans leur utilité sociale (cf. sa célèbre *Parabole*) et que le monde peut être amélioré par la réflexion et la technique. Il a créé plusieurs revues (*L'Industrie, L'Organisateur*) et fait de nombreux disciples dont Auguste Comte et plusieurs polytechniciens (Carnot, Chevalier, Talabot, Enfantin). Après sa mort, l'école saint-simonienne ne tarde pas à éclater en trois chapelles : un saint-simonisme mystique se survit chez Enfantin (qui part pour le Moyen-Orient à la recherche de la Femme-Messie), et ultérieurement dans certains aspects de la philosophie d'Auguste Comte ; un courant socialiste-chrétien est animé par Philippe Buchez, le fondateur de *l'Atelier*, Pierre Leroux, ami et inspirateur de George Sand, d'Eugène Sue, de Victor Hugo, et Constantin Pecqueur ; un important courant technocratique réunit surtout des ingénieurs et des hommes d'affaires (Talabot, Lesseps, Pereire) que l'on retrouve à l'œuvre sous le Second Empire.

Fourier est plus original encore. Il déteste la Révolution française et se méfie de l'industrie qu'il voudrait disperser à la campagne. Sa passion, ce sont les formes de la vie en communauté (cf. son célèbre « phalanstère », censé faire vivre et travailler ensemble, sur une lieue carrée de terrain, 1620 personnes réparties en « séries passionnées »). Cette recherche obsessionnelle de la meilleure forme communautaire a d'ailleurs plus d'influence à l'étranger qu'en France, où les deux phalanstères de Condé-sur-Vesgre et Cîteaux échouent complètement, en 1832 et 1841.

→ Le communisme

Les communistes visent à la mise en commun de la propriété et des moyens de production. Ils sont d'abord, tel Blanqui, sous l'influence du babouvisme (Buonarotti, compagnon de Babeuf dans la conspiration des Égaux de 1796, ne meurt qu'en 1837), c'est-à-dire jacobins, sectaires et irreligieux. Mais assez vite, plus que Blanqui, l'étoile montante du communisme français est Étienne Cabet, ancien magistrat révoqué, qui publie en 1840 son *Voyage en Icarie*.

→ Deux inclassables : Louis Blanc et Proudhon

Restent deux inclassables, qui se rendent célèbres au temps de la monarchie de Juillet.

Louis Blanc, journaliste au *National* puis à la *Réforme*, historien de la Révolution française, auteur d'une brochure sur l'organisation du travail, vulgarisateur inlassable, s'efforce de rassembler ce qu'il y a de plus concret et de plus réalisable dans les différents projets socialistes.

Proudhon, typographe bisontin, publie son *Qu'est-ce que la propriété?* en 1840 et sa *Philosophie de la misère* en 1847. Il y dénonce les contradictions de la propriété, à la fois droit et récompense, et fait l'apologie des solutions mutualistes. Tous ces penseurs ont en commun d'être très critiques à l'égard de l'anarchie industrielle et du parasitisme social. Pour eux, le capitalisme libéral est générateur de désordre et de misère. À cette anarchie mortelle, les socialistes opposent les notions d'organisation, d'harmonie, d'association, de «liberté composée et convergente» (Fourier). Mais ils sont tout aussi sévères à l'égard des rentiers traditionnels et des intermédiaires commerciaux, accusés de ne pas produire de richesses et cette condamnation du parasitisme s'accompagne parfois de tendances antisémites. Seuls les communistes refusent absolument la propriété privée. Les autres opposent généralement la propriété illégitime, fondée sur l'exploitation du travail d'autrui, à la possession légitime de l'outil de production, garantie de liberté individuelle. Tous proposent un monde meilleur, organisé, généralement décentralisé, auquel on accédera par la douceur et par l'exemple (seuls les blanquistes croient la violence nécessaire et préparent la prise d'armes). Enfin, la plupart de ces théoriciens sont imprégnés d'un christianisme diffus, qui permet la sacralisation du peuple et contribue à préparer l'illusion lyrique de 1848.

chapitre 2

Les lentes transformations de l'économie et de la société (1815-1848)

A– Cadre général de l'activité

La France de la monarchie censitaire est, pour l'essentiel, un pays agricole, dont les activités de transformation sont de type proto-industriel. Le travail concentré est très rare, l'innovation technique ne concerne qu'un petit nombre de secteurs et d'entreprises, on utilise au maximum les ressources du bois et de l'eau. Au plan industriel, le textile joue un rôle fondamental dans le cadre de la « manufacture dispersée » (ou « domestic system ») : un fabricant distribue de la matière première à des ruraux qui la travaillent et lui livrent le produit fini qu'il commercialise. Ce système, qui a connu un très grand développement à l'époque moderne, est toujours vigoureux en France dans le premier XIXᵉ siècle. Il offre une grande souplesse en cas de crise.

Le Consulat et l'Empire ont par ailleurs doté l'économie française de quelques masses de granite : franc germinal, dont la définition – 322 mg d'or – ne varie pas entre 1803 et 1914, Banque de France (qui émet de la monnaie de papier, gagée sur son encaisse métallique, et joue le rôle de « banque des banquiers et des banques »), Code civil de 1804 (unifiant définitivement le droit privé des Français) et Code de commerce de 1807 (définissant les types de société : sociétés de personne, en nom collectif ou en commandite simple ; société de capitaux, en commandite par actions ou société anonyme) servent désormais de cadre à l'activité économique.

La France des années 1817-1850 est par ailleurs dans une phase B des cycles de Kondratieff. On sait que cet économiste russe a étudié vers 1925 l'alternance de périodes de hausse des prix (phase A) et de périodes de baisse des prix (phase B). Ces mouvements sont dus, selon lui :

– à des facteurs monétaires : l'abondance de monnaie fait les phases A, la contraction monétaire fait les phases B ;
– à des facteurs techniques : les phases de découvertes appliquées provoquent la création de nouvelles entreprises, l'achat de nouveaux équipements et une forte demande en matières premières qui fait monter les prix ; ensuite, la concurrence fait immanquablement baisser les prix et les profits ;
– à des facteurs politiques : la guerre, en provoquant une très forte poussée de la demande industrielle, favoriserait le passage à la phase A, la paix, le passage en phase B.
De 1817 à 1850, la croissance internationale est modérée, les prix stagnent ou baissent, par manque de moyens de paiement et insuffisance du crédit ; on est bien en phase B. Se succéderont ensuite une phase A correspondant à la « fête impériale » (1850-1873), puis la phase B de la « grande dépression », particulièrement sensible en France (1873-1896), et pour finir la phase A de la « Belle Époque » (1896-1914).

B – Facteurs de croissance ou de stagnation

1. L'intervention de l'état

Le rôle économique de l'État mérite d'être précisé. L'administration technique, où les polytechniciens jouent un rôle croissant, est remarquable et remarquablement stable : son statut, fixé sous l'Empire, et sa compétence la protègent des soubresauts politiques. Les principes libéraux affirmés entre 1789 et 1815 sont maintenus. L'économie, obéissant à des lois naturelles, doit vivre à son rythme propre ; l'État est un pis-aller dont la sphère d'intervention doit être strictement limitée. On ne s'étonnera donc pas que son budget soit faible et augmente peu (1 % par an), ni que la plupart de ses dépenses ne soient pas directement liées à l'économie. Cela dit, l'interventionnisme gagne du terrain : les hommes d'affaires orléanistes apprécient que l'État soit un État-gendarme et un État-douanier, et les ingénieurs des grands corps, héritiers du despotisme éclairé, considèrent que l'État est le meilleur juge de l'intérêt public ; ils jouent un rôle considérable dans la mise en place des infrastructures de transport.
Il s'agit d'abord de remettre en état le réseau des routes royales d'Ancien Régime, de compléter ce réseau par la réalisation de routes départementales et vicinales (loi de 1836). Il s'agit aussi d'améliorer le réseau navigable (plan Becquey de 1822, demeuré inachevé). Il s'agit enfin et surtout d'encadrer la politique ferroviaire française : après un certain nombre d'expériences privées, la loi de 1842 fixe le plan du réseau, calqué sur celui des routes royales du xviiiᵉ siècle, et confie à l'État l'achat des terrains et la réalisation des gros travaux d'infrastructure (l'exploitation des lignes étant confiée à des compagnies concessionnaires).

Enfin, l'État encourage l'épargne et l'agriculture. La Caisse des dépôts et consignations, créée en 1816 pour recevoir les dépôts de garantie de certains agents publics, gère à partir de 1837 les fonds des Caisses d'épargne (créées en 1818). L'État soutient les paysans par sa politique douanière, par sa politique des réseaux de transport, par l'institution des comices agricoles en 1832 (concours agricoles, largement subventionnés par les conseils généraux). Un certain ruralisme d'État où entrent, à doses variables, la peur des troubles urbains, des considérations hygiénistes, l'enracinement foncier des élites, se met en place pour longtemps.

2. La situation démographique

La démographie française est également un facteur intéressant à observer.

La baisse du taux de natalité est incontestable : alors que ce taux était de l'ordre de 36 ‰ dans la décennie 1780, il n'est plus que de 33 ‰ entre 1816 et 1820, et de 28,4 ‰ entre 1836 et 1840. À cette date, le taux français est inférieur d'un tiers à celui de tous ses voisins. Pourquoi cette baisse ? La déprise religieuse joue un rôle (les régions ferventes ne sont pas affectées par le phénomène), de même que le partage successoral égal tel qu'il est formulé dans le Code civil, le brassage humain des armées révolutionnaires et impériales (les Normands, précocement malthusiens, auraient initié leurs camarades), et la montée de l'individualisme.

La mortalité reste relativement élevée en raison de la médiocrité du niveau de vie moyen. Les déficiences du régime alimentaire font que 37 % des conscrits examinés entre 1818 et 1826 sont réformés, et que la tuberculose connaît au même moment une forte poussée, qui lui vaut l'appellation de « mal du siècle ». Cette situation démographique a d'ores et déjà quelques effets économiques : le maintien du secteur du luxe à un haut niveau relatif (puisque le marché intérieur n'est pas extensible, on préfère fabriquer des biens qui pourront s'écouler à l'extérieur) ou le haut niveau précoce des investissements français à l'étranger. Cela dit, les effets du vieillissement concernent surtout la seconde moitié du siècle et, entre 1816 et 1845, la croissance de la population reste relativement forte : on passe de 27 millions à 32 millions d'habitants. Elle est particulièrement sensible dans les campagnes : il y a encore, en 1846, 76 % de ruraux dans la société française, et l'on peut même parler pour cette date de « congestion rurale ». C'est cette surcharge qui explique la multiplication des migrations saisonnières, vers la ville ou d'autres campagnes, le maintien de la « manufacture dispersée », la faible consommation industrielle d'une population paysanne à faible pouvoir d'achat. La croissance urbaine est relativement lente, du moins jusqu'à la décennie 1840, bien que quelques centres industriels (Saint-Étienne, Roubaix, Tourcoing, Mulhouse) et surtout Paris (dont la population double entre 1801 et 1846) fassent exception. Les villes du premier XIXe siècle, comme celles du XVIIIe siècle, sont d'ailleurs marquées par une forte surmortalité : la croissance de la «ville-mouroir» ne peut être due qu'au solde migratoire.

3. La révolution ferroviaire

Vers 1848, la révolution ferroviaire n'en est qu'à sa phase initiale. En 1845, la France compte moins de voies ferrées que la Belgique et beaucoup moins que la Grande-Bretagne.

Les premières tentatives sont dues à des charbonniers stéphanois qui essaient de relier leurs installations à une voie navigable : ils réalisent en 1827 la ligne Saint-Étienne – Andrézieux à traction animale), puis en 1832 la ligne Saint-Étienne-Lyon avec locomotive à vapeur. Très vite, les milieux d'affaires parisiens (Rothschild, Laffitte, Fould) s'intéressent à cette nouveauté. À partir de 1842, c'est la «railwaymania» : les besoins de fonds sont tels que l'on est obligé de créer des sociétés par actions. En 1846, les Rothschild lancent la Société des chemins de fer du Nord, dont le capital de 200 millions est fourni par 20 000 actionnaires en quelques semaines! On estime ainsi que le capital privé investi dans les chemins de fer atteint un milliard de francs en 1847. La situation se dégrade entre 1846 et 1851 : en 1846, des actionnaires, ne voyant rien venir des bénéfices rêvés, revendent leurs actions et provoquent une baisse des cours ; dès lors, les nouvelles émissions ferroviaires se placent mal : les compagnies, manquant de capitaux, doivent ralentir leurs travaux ou font carrément faillite. Cette crise, qui manifeste par ailleurs les insuffisances du système français de crédit (on manque partout de disponibilités à court terme), entre en interaction avec une crise agricole d'ancien type (ou de mauvaise récolte) et est à l'origine de la séquence révolutionnaire de 1848. Quoi qu'il en soit, les effets positifs de la révolution ferroviaire sur l'ensemble de l'activité économique se font surtout sentir dans la période suivante.

C – La croissance par secteur

1. La croissance agricole

La croissance agricole est incontestable. Entre 1815 et 1851, le produit agricole croît en volume de 78%. Le blé progresse au détriment des céréales pauvres : en 1820, il représente le tiers de la récolte céréalière, en 1850 la moitié. La betterave progresse aussi, de même que la pomme de terre après les disettes de 1812 et 1818 ; le cheptel s'accroît. Cela dit, il n'y a pas de révolution agricole. La hausse de la production est essentiellement extensive (obtenue par un surcroît de travail), le recul de la jachère est lent, les rendements à l'hectare n'augmentent que très modestement, l'abondance des bras ne rend pas la mécanisation urgente.

Deux secteurs coexistent, l'un traditionnel et routinier, dominant le Sud, l'Ouest et le Centre du pays (avec jachère, labourage à l'araire, moisson à la faucille, polyculture de subsistance, soumission à la nature et à la tradition), l'autre évolutif, touché par la transformation des techniques (rotation continue des cultures, faucheuse ou batteuse mécanique, charrue Brabant ou Dombasle réversible), tourné vers le marché national ou international, et qu'on trouve essentiellement dans le Nord du pays (Picardie et Normandie venant s'ajouter à la Flandre et à l'Alsace, en progrès sensibles dès la fin de l'Ancien Régime). Globalement cependant, le niveau de vie des ruraux est bas. C'est même dans les années 1815-1850 que le revenu agricole commence à être inférieur à la moyenne nationale. D'où le gros endettement des paysans auprès des notaires et des usuriers, à l'origine des troubles ruraux de 1848-1851 : la faiblesse du système de crédit à l'agriculture est dans la longue durée un des points noirs de la vie rurale française. D'où aussi le faible entraînement que peut avoir le marché rural sur le secteur industriel.

2. La croissance industrielle

La modernisation de l'industrie est également lente. Plusieurs facteurs contribuent à cette lenteur : la prohibition anglaise en matière d'exportation de machines jusqu'en 1843, le manque relatif de charbon et le haut prix du charbon importé, l'importance de la « manufacture dispersée » héritée de l'âge proto-industriel et longtemps préférée par les chefs d'entreprise à la concentration en usine des « classes dangereuses », l'insuffisance du crédit alors que la modernisation coûte cher. Le textile (en particulier le secteur cotonnier) joue un rôle moteur : la filature, qui avait commencé à se transformer au XVIIIe siècle (*mule-jenny*), achève sa modernisation, ce qui se traduit par une hausse des rendements et une amélioration de la finesse ; le tissage ne se mécanise que dans les années 1830-1840, par la généralisation de machines inventées au début du siècle. Le secteur de la soierie lyonnaise connaît une faible modernisation technique (métier Jacquard), mais une éclatante inventivité.

La métallurgie suit le mouvement avec lenteur à partir de 1835. C'est alors que, pour répondre à la demande en machines textiles et en rails, la fonte au coke commence à remplacer la fonte au charbon de bois.

L'industrie chimique bénéficie des progrès de la science depuis la fin du XVIIIe siècle et se développe en recherchant la valorisation de sous-produits : l'entreprise de Saint-Gobain (en Picardie) ne s'est dotée d'une branche chimique vers 1823-1834 que pour traiter les résidus de ses opérations de verrerie.

3. L'activité bancaire

L'activité bancaire reste dominée par la haute banque parisienne. On y trouve une vingtaine d'établissements créés à la fin de l'Ancien Régime (Perregaux, Hottinguer), à l'époque thermidorienne (Seillière), voire plus récemment encore (Rothschild s'est installé à Paris en 1812). Ce sont des entreprises familiales, souvent protestantes ou juives, pas entièrement spécialisées dans la banque (Hottinguer est négociant de coton, Delessert est industriel du sucre, les Perier sont métallurgistes), et qui bénéficient de l'avantage de situation de Paris dans le commerce international des devises. Ces maisons font des affaires avec un petit nombre de négociants (gestion de compte, escompte, crédit sur nantissement de marchandises) et avec l'État, mais s'intéressent longtemps assez peu à l'investissement industriel : elles craignent une longue immobilisation du capital, pour des résultats qui ne sont pas assurés. Laffitte est une exception, qui subit cependant plusieurs échecs avant de lancer, en 1837, avec Koechlin et Lebaudy, la Caisse générale du commerce et de l'industrie.

4. Le commerce

Le commerce, enfin, n'a pas connu dans ces années de changement considérable. Les exportations, particulièrement actives en direction de la Grande-Bretagne et des États-Unis, portent essentiellement sur des produits de luxe, qui ont peu d'effets d'entraînement sur l'ensemble de l'économie (les premiers postes aux exportations sont, vers 1850, les soieries, les lainages et les vins), subissent de plein fouet les crises conjoncturelles des pays acheteurs et ne contribuent pas à un renforcement sensible de la marine marchande (ce commerce se fait le plus souvent sur des navires étrangers).

Le commerce intérieur est entre les mains d'un très grand nombre de patentés (900 000 en 1815, 1 400 000 en 1850). Dans la France de Balzac, la boutique garde une importance considérable. C'est une installation exiguë et généralement sombre, où travaillent la famille du patron et un ou deux commis ; le renouvellement des stocks est lent, les prix sont flottants, les bénéfices unitaires exorbitants. Seules innovations notables, les débuts de la publicité dans la presse, le développement des « passages » à la fin de la Restauration (à Paris, dans le quartier de la Bourse et du Palais-Royal) et l'apparition des premiers « magasins de nouveautés » (vers 1826-1829).

Au total, il est clair qu'on ne peut pas parler de décollage pour l'économie française des années 1815-1848. L'absence d'une révolution agricole préalable, la faible modernisation de la très grande majorité des entreprises industrielles, l'importance de la petite entreprise font d'ores et déjà l'originalité de la croissance française. Tout ne doit pas être noirci dans ce tableau. La production nationale, même moins mécanisée que la production britannique, offre un spectre très étendu et peut répondre à une demande intérieure régionalement et socialement variée, tout en occupant une multitude de petits créneaux dans le commerce international.

D – Les groupes sociaux : ruraux et urbains, riches et pauvres

1. Les ruraux

La France du premier XIXe siècle est très majoritairement paysanne. La Révolution a même conjoncturellement accru la proportion des ruraux dans la population globale : le nombre des propriétaires augmente, qu'ils soient exploitants ou non-exploitants (la propriété foncière est un placement courant, qui confère revenus, prestige et agrément) ; les campagnes, enfin, ont un poids politique considérable (avant 1848, la majorité des électeurs sont des propriétaires fonciers ; après 1848, la majorité des électeurs sont des paysans).

Mais les campagnes sont elles-mêmes très inégalitaires. La vente des biens nationaux, qui a représenté un transfert de propriété sans équivalent, a essentiellement bénéficié aux catégories supérieures de la société rurale, avec bien des nuances régionales ou locales : en 1826, 80 % des propriétaires ne disposent à eux tous que de 17 % de la fortune foncière nationale, tandis que 0,1 % d'entre eux en possèdent 9 %.

Au sommet de la société rurale, on trouve donc les grands propriétaires, encore souvent nobles. Malgré la rupture juridique révolutionnaire, ils n'ont pas complètement abandonné le genre de vie seigneurial (que favorise le cadre du château), et leurs relations avec leurs fermiers, leurs métayers, leurs journaliers, sont empreintes de paternalisme. Certains gentilshommes légitimistes trouvent d'ailleurs dans leurs domaines une consolation à la révolution de 1830, et y font alors des expériences agronomiques. Ce sont les mêmes qui animent, à la même époque, les sociétés d'agriculture.

Autre rentier du sol, le bourgeois rural, celui que les paysans appellent le Monsieur, et dont Maurice Agulhon a admirablement souligné l'importance en Provence (mais on le trouve partout) : ayant ses aises, bien mis, souvent instruit, il peut jouer un véritable rôle d'intermédiaire culturel et politique. Une barrière symbolique très importante sépare cependant ces propriétaires non-exploitants de tous ceux, beaucoup plus nombreux, qui travaillent la terre de leurs mains, et des artisans de village.

Les plus modestes d'entre les paysans ont très peu de biens propres et travaillent donc pour autrui, comme métayers (devant céder au propriétaire une partie de la récolte) ou comme ouvriers agricoles, les fermiers (qui versent au propriétaire un loyer en argent) bénéficiant pour leur part d'une condition et de revenus bien supérieurs. Ces paysans pauvres, dont le nombre augmente sensiblement au temps de la « congestion rurale » que nous avons déjà évoquée, restent naturellement attachés aux antiques usages communautaires, en contradiction avec la conception abso-lutiste de la propriété privée qu'a cherché à imposer la Révolution : d'où le refus du Code forestier de 1827 (venu remplacer le Code Colbert disparu avec l'Ancien Régime) et les troubles qu'il entraîne (la « guerre des demoiselles » en Ariège, en 1829-1830).

2. Les villes au temps de Balzac

Avant toute chose, le réseau urbain mérite examen. La capitale, en plein essor, domine de très loin un petit nombre de grandes villes (Lyon, Rouen, Bordeaux), déjà importantes à la fin de l'Ancien Régime par leurs fonctions commerciales ou administratives (les villes de parlement sont devenues sièges de cour d'appel) ; la trame est fournie par une poussière de petites villes. L'urbanisme évolue peu : les villes gardent leur visage d'avant la Révolution, rues étroites et hautes maisons, circulation difficile autrement qu'à pied, hygiène déplorable. La fonction indus-trielle des villes est souvent secondaire : la tradition proto-industrielle est encore très sensible, qui visait à aller utiliser sur place les sources d'énergie et la main-d'oeuvre rurales. En revanche, la Révolution a renforcé la fonction administrative des villes moyennes par sa politique de départementalisation : préfectures et sous-préfectures accueillent des fonctionnaires, des magistrats, des établissements d'enseignement, des services techniques, éventuellement une garnison ; les élites de l'arrondissement y trouvent une vie de société et des artisans qualifiés. Au niveau inférieur, le bourg, même mal dégagé du village, gagne en importance en raison de la croissance agricole et de la politique routière.

3. La grande ville

La grande ville est le miroir des inégalités, de la conscience de classe et de la pathologie sociale. Les conditions matérielles y sont extrêmement différenciées, mais nulle part aussi différenciées qu'à Paris au temps de la monarchie censitaire : les élites y sont concentrées (dans le Marais et le faubourg Saint-Germain pour la vieille aristocratie, dans le quartier de la Chaussée-d'Antin pour la bourgeoisie d'argent), mais les « barbares » y affluent, poussés par la misère rurale (sous la monarchie de Juillet, la moitié des Parisiens sont indigents, autrement dit réduits à la charité privée ou publique). C'est en ville, et en particulier à Paris, que les ouvriers se dotent pour la première fois d'une conscience de classe, aiguisée par l'effet de l'instabilité du marché du travail, les fluctuations conjoncturelles du salaire, la constante vulnérabilité aux coups du sort. Il faut préciser ce qu'on entend ici par ouvrier.

→ **L'ouvrier**
L'ouvrier, c'est d'abord le compagnon ou l'apprenti, c'est-à-dire le salarié qualifié de l'artisanat urbain, à Paris héritier de la tradition sans-culotte, lié à la bourgeoisie républicaine et aux socialistes utopiques. C'est lui qui participe aux révoltes politiques et aux mouvements sociaux de la monarchie de Juillet, qui affirme l'existence d'une classe ouvrière solidaire et qui réclame pour elle les promesses non tenues de la Grande Révolution.

La question de la pathologie sociale est, elle, soulevée à propos des nouvelles formes du travail industriel, c'est-à-dire des «fabriques» (nos usines), et de leur main-d'œuvre hétérogène, peu qualifiée et sans défense (en particulier de femmes et d'enfants). Les enquêteurs sociaux (le docteur Villermé, le docteur Guépin) insistent sur toutes les formes de déchéance morale (promiscuité, concubinage, prostitution, alcoolisme) qu'induit ce nouveau mode de travail : ils considèrent qu'il faut remoraliser la classe ouvrière ou qu'il faut la craindre. C'est alors que l'on se met à fantasmer sur la «classe laborieuse» réputée «classe dangereuse» : aussi les pouvoirs publics punissent-ils sans faiblesse les moindres infractions commises par la plèbe urbaine.

Les deux populations ouvrières payent un lourd tribut au choléra de 1832 : venue d'Europe orientale (et plus précisément de Russie, via la Pologne), l'épidémie apparaît en France pendant le Carnaval de 1832 et fait plus de 100 000 morts en quelques jours. L'épidémie pose aux médecins l'importante question des vecteurs pathogènes et de l'hygiène idéale. L'eau est désormais réputée préservatrice : les quartiers les plus atteints sont des quartiers où l'eau manque. La politique de la période suivante (travaux d'adduction, construction de bains publics et de lavoirs, observations pastoriennes) en découle directement.

4. Notables et bourgeois
La France des années 1815-1848 a souvent été appelée la France des notables. C'est en effet le moment de notre histoire où les grands notables (au sens qu'on a donné à ce mot sous l'Empire, à savoir les principaux personnages d'un département) détiennent tous les pouvoirs : pouvoir politique et administratif, pouvoir économique, pouvoir culturel. On trouve donc au sommet de la société un tout petit monde, qui pratique cooptation et homogamie, et verrouille à tel point

l'accès aux «places» qu'il rend inévitable la stratégie révolutionnaire des catégories immédiatement inférieures. C'est ce tout petit monde (quelques milliers de familles) qui, à Paris, profite du luxe étalé sur «le boulevard», hante les bals pendant la saison, le Théâtre-Français, les Italiens et l'Opéra, se promène à pied aux Tuileries et en voiture sur les Champs-Élysées (4 000 voitures par jour en 1842), pousse jusqu'au champ de course de Longchamp (le Jockey-Club est créé en 1834), voire jusqu'au littoral normand où est lancée, dès la Restauration, la mode de la villégiature à l'anglaise (à Dieppe ou à Trouville). L'univers des notables est cependant divisé verticalement (il y a de grands et de petits notables) et horizontalement (en fonction des appartenances politiques). La pyramide des notables est assez bien manifestée par le système électoral : en 1840, 56 000 éligibles, 250 000 électeurs, 2 800 000 électeurs municipaux. Le bas de la hiérarchie nous donne à voir une petite bourgeoisie qui est loin d'avoir le même pouvoir et les mêmes opinions que les banquiers de la Chaussée-d'Antin. Au contraire, ce milieu composite (on y trouve à la fois la boutique et les «capacités», professions libérales ou petits fonctionnaires, qu'angoisse un déclassement toujours possible) hante la strate inférieure des cercles (les arrière-salles du «café du Commerce» ou du «café du Progrès») et conteste le népotisme dominant, le plus souvent en demandant la réforme électorale, parfois en s'engageant dans le camp républicain. Un autre clivage, fondamentalement politique, traverse l'univers des notables : les notables légitimistes, souvent nobles et proches de l'Église, ne se sont pas amalgamés «à l'anglaise» avec les notables orléanistes, plus bourgeois; ils ne le feront qu'un peu plus tard et momentanément, dans un grand mouvement de peur sociale, en juin 1848, en constituant ce qu'il est convenu d'appeler «le parti de l'ordre». Car la naissance du Tout-Paris ne signifie pas la fusion des élites : si celles-ci tendent à se rapprocher par certains éléments de leur mode de vie (les promenades ou les divertissements), des nuances, des réseaux et des rancœurs continuent à séparer les salons, les théâtres ou les villégiatures.

Le temps du romantisme

A- Problèmes culturels

L'unité culturelle de la France est beaucoup moins forte en 1815 qu'elle ne le sera en 1914, *a fortiori* aujourd'hui. Les facteurs d'hétérogénéité sont encore nombreux et puissants dans la France du premier XIXe siècle, et le siècle entier ne sera pas de trop pour en venir à bout. Le paradoxe est ici que la Révolution, qui a eu un objectif très clair d'homogénéisation (au plan du droit, du découpage administratif, voire de la langue), a aussi beaucoup contribué à faire apparaître ou réapparaître des clivages, qui jouent dans la longue durée.

1. Les «deux France» des statisticiens

Toujours est-il que les décennies 1820 et 1830 voient apparaître le thème des «deux France». Une ligne Saint-Malo – Genève est en effet repérée à cette époque par des statisticiens (Malte-Brun, Dupin, d'Angeville): elle oppose deux France sous le rapport de l'acculturation. À l'est et au nord de cette ligne, les niveaux d'alphabétisation sont supérieurs à la moyenne nationale, tandis qu'au sud et à l'ouest, ils lui sont presque toujours inférieurs. Cette ligne joue à toute une série de niveaux: elle oppose France du français et France patoisante; France de l'industrie naissante et France anti-industrielle; France de l'habitat groupé et France de l'habitat dispersé; et même France de la Révolution et France de la contre-Révolution. Surtout, la découverte de Malte-Brun et Dupin fait ressortir le double rôle de l'instruction, moyen d'accès aux Lumières et source d'enrichissement matériel: la France éclairée est aussi la France riche. La réponse du légitimisme et du christianisme social (Bigot de Morogues, Villeneuve-Bargemont) ne se fait pas attendre: il y richesse et richesse, le Nord et l'Est sont aussi les espaces de la nouvelle paupérisation industrielle, et la stabilité sociale et morale du Sud et de l'Ouest mérite d'être louée et imitée. «L'invention de la Bretagne» entre 1815 et 1865, qui est largement affaire de cénacles et de revues, ne se comprend qu'ainsi:

il s'agit bel et bien de renverser le stéréotype négatif des statisticiens en exaltant le mysticisme celte et la chouannerie.

2. L'enseignement primaire

La situation globale de l'enseignement primaire vers 1815 est à la fois préoccupante et contrastée. Préoccupante, parce que l'État impérial s'en est désintéressé, parce que les maîtres sont en nombre notoirement insuffisant, parce que les pédagogies sont incohérentes et tâtonnantes, et les contenus transmis extrêmement minces (l'apprentissage de la lecture est séparé de celui de l'écriture, plus rare). La situation est aussi contrastée à plusieurs niveaux. Au nord de la ligne Saint-Malo – Genève s'affirme une scolarisation importante et ancienne autour de deux pôles dynamiques (la Lorraine et la Normandie), tandis qu'au sud l'insuffisance est quasi générale. Un autre contraste très sensible est celui qui oppose villes et campagnes : les enfants de l'artisanat urbain sont mieux scolarisés que les petits paysans. La dernière inégalité devant l'enseignement primaire est sexuelle : la tradition catholique considère en effet que les filles peuvent très bien apprendre ce qui leur est strictement nécessaire dans le cadre domestique (la piété et les soins du ménage) et qu'elles doivent s'abstenir d'aller dans des écoles mixtes (alors que la pauvreté de certains villages rendait la mixité indispensable).

Guizot, ministre de l'Instruction publique au début de la monarchie de Juillet, veut, en bon protestant, tirer les ruraux de leur ignorance superstitieuse et prend le problème à bras le corps. Par la loi de 1833, il demande à chaque commune d'entretenir au moins une école (le salaire de l'instituteur étant fixé à 200 F), à chaque département d'ouvrir une école normale de garçons (sur un modèle unifié). Il crée également l'inspection primaire et l'inspection d'académie, destinées à juger les maîtres et à homogénéiser leurs pratiques. Il proclame enfin la liberté de l'enseignement primaire afin d'encourager les congrégations à ouvrir des écoles (solution avantageuse pour les finances publiques et pour l'enseignement des filles).

3. Le rôle de l'Église

L'Église joue un rôle important, et pas seulement scolaire, dans la France des années 1815-1848. Après la crise révolutionnaire, qui a provoqué une interruption brutale du culte et de la catéchèse, l'Église entreprend un lent travail de reconquête, rendu possible par la signature du Concordat entre Rome et la France en juillet 1801.

→ Le Concordat de 1801

Le cadre concordataire mérite d'être précisé puisqu'il reste en place jusqu'en 1905 (et jusqu'à nos jours en Alsace et en Moselle) :

– la religion catholique est reconnue «religion de la grande majorité des Français»;
– la désignation des évêques se fait sur le mode du concordat de Bologne de 1516 (l'autorité politique les désigne, le pape leur donne l'investiture canonique);
– les ecclésiastiques sont rétribués par l'État (assez généreusement: 15 000 F par an pour un archevêque, 10 000 F pour un évêque, 1 000 à 1 500 F pour un curé, 300 à 800 F, en 1830, pour un simple desservant);
– une administration des cultes est mise en place.

Cette remise en ordre matérielle permet à l'Église de restaurer son influence. C'est particulièrement vrai au temps de la Restauration, lorsque sa connivence profonde avec les autorités lui permet d'imposer le respect du dimanche (1814), l'abolition du divorce (1816), le contrôle de l'enseignement primaire (1816), la loi du sacrilège (1825), et de multiplier les missions (suites de prédications, dans un climat pénitent voire doloriste, se concluant par une confession, une communion et une absolution collectives). Ainsi accroît-elle son emprise sur la société. Après l'hémorragie révolutionnaire, le clergé se renforce numériquement: la croissance des vocations est plus forte que celle de la population globale (un niveau très élevé est atteint au début de la monarchie de Juillet avec plus de 2 000 ordinations par an); de même, les effectifs des congrégations féminines quadruplent entre 1815 et 1850.

4. La reconquête spirituelle

La spiritualité connaît l'amorce d'un changement considérable avec le passage du rigorisme au liguorisme (du nom d'Alphonse de Liguori, canonisé en 1830). Alors que jusque-là l'Église exigeait du confessé une sanctification entière et définitive, refusait les tièdes et les hésitants, insistait sur le risque de damnation (dans une pastorale de la peur issue de la Contre-Réforme), elle commence à rechercher, à partir des années 1820-1840, la réconciliation du pécheur avec les sacrements. L'absolution est accordée plus facilement, en particulier aux prêteurs et aux femmes mariées. C'est que l'Église s'est rendu compte des dangers pastoraux du rigorisme: l'inquisition sexuelle et les sévérités outrées des confesseurs finissaient par détourner beaucoup de baptisés du confessionnal et, partant, de la pratique tout entière – le phénomène était à l'origine du «dimorphisme sexuel», c'est-à-dire du détachement masculin, «réaction de défense du père de famille» (Théodore Zeldin). Pour les mêmes raisons, l'Église commence à être moins sévère, vers 1840, à l'égard de certaines formes, jugées jusque-là superstitieuses, de la religion populaire. Au contraire, les formes officielles de la piété commencent à se faire plus expansives, plus iconiques, plus sentimentales, c'est-à-dire à se charger de la religiosité naturelle des petits. Jean-Marie Vianney, curé d'Ars de 1818 à 1859, réputé pour sa prédication et sa charité, est de son vivant l'objet d'un pèlerinage dans sa paroisse de la Dombes.

L'Église est aussi composée de laïcs, et l'engagement des pieux laïcs mérite examen. Il a pour cadre des sociétés d'œuvres (nous dirions de charité), dont la plus importante est la Société de Saint-Vincent-de-Paul, créée en 1833 dans la mouvance légitimiste, avec l'objectif de «fortifier la foi de ses membres par la pratique en commun de la charité et plus particulièrement la visite régulière des plus pauvres». On y trouve l'âme la plus pure de tout le laïcat chrétien, Frédéric Ozanam. Il s'exprime surtout dans le patronage social, tel que le conçoivent un Villeneuve-Bargemont ou un Armand de Melun.

Les limites de l'entreprise sont évidentes : l'action religieuse au sens étroit prime l'action sociale, la dignité des bénéficiaires est mise à rude épreuve, la réflexion sur le monde moderne est constamment entravée par le préjugé contre-révolutionnaire. Cela dit, les années 1840 voient la gauche politique diffuser des thèmes chrétiens, en dehors du catholicisme officiel et en relation avec le romantisme : égalité des hommes devant Dieu, caractère sacré de l'amour, Christ-prolétaire.

5. La crise du catholicisme libéral

L'Église connaît enfin une querelle grave, celle du catholicisme libéral. Un prêtre breton, Félicité de Lamennais, comprend à la fin de la Restauration qu'on ne peut lier le sort de l'État monarchique et le sort de l'Église, et qu'il faut s'appliquer à défendre l'Église seule.

Après la révolution de Juillet, le groupe de la Chênaie lance le quotidien *L'Avenir,* à l'explicite devise, «Dieu et la liberté». Il paraît d'octobre 1830 à novembre 1831. Attaqués par la hiérarchie épiscopale, ses responsables, Lamennais, Lacordaire et Montalembert, en appellent au pape, se rendent à Rome pour plaider leur cause (hiver 1831-1832), mais sont condamnés par Grégoire XVI dans l'encyclique *Mirari* vos (1832). Cette condamnation provoque la rupture. Dans un premier temps, tous se soumettent, mais Lamennais persévère avec *Paroles d'un croyant* (l'un des textes les plus ardents du XIXe siècle, 1834), est de nouveau condamné, renonce au sacerdoce et vit en dehors de l'Église. Ses obsèques, en 1854, au milieu d'un grand concours de peuple, sont purement civiles. Montalembert, lui, décide de se mettre au service des causes concrètes, en respectant l'orthodoxie et l'épiscopat : il reprend *Le Correspondant,* se bat pour le développement des ordres religieux et surtout pour la liberté de l'enseignement ; il obtient gain de cause pour le primaire dès 1833, mais doit attendre 1850 pour le secondaire.

De fait, le catholicisme libéral pose d'énormes problèmes théoriques dans le contexte du XIXe siècle. Il ne s'agit pas d'un libéralisme pur et dur ; même Lamennais est plus populiste que libéral. Ce qu'il a d'authentiquement libéral est inacceptable pour une Église qui met la Vérité au-dessus de la Liberté, refuse en bloc l'héritage de la Révolution française, et trouve aux catholiques libéraux un côté bien protestant. La crise éclatera dans la période suivante.

→ **Les minorités religieuses**

Restent les non-catholiques. La France de la monarchie censitaire compte quelques centaines de milliers de protestants, nombreux en Languedoc, en Alsace et à Paris, et quelques dizaines de milliers de juifs. Bien que ces minorités, bénéficiaires de la Révolution, aient été assez mal vues entre 1815 et 1830, elles sont loyales à l'égard des Bourbons (on le voit, pour les protestants, dans les statistiques de la conscription). La monarchie de Juillet contribue fortement à leur assimilation.

B – La culture en France au temps du romantisme

1. Le théâtre romantique

C'est l'âge d'or du mélodrame (Pixérécourt) avec des acteurs extraordinairement populaires (Frédérick Lemaître, le mime Debureau, Marie Dorval, Mademoiselle George). Le public est très mêlé, ce qui explique que toute une sensibilité populaire s'y soit forgée (manichéisme, haine du traître, croyance à l'accident miraculeux), mais que s'en soit également nourrie la grande génération romantique : Alexandre Dumas (qui avait, boulevard du Temple, son propre théâtre), Hugo, et même Vigny.

L'époque voit en effet l'apparition du théâtre romantique en vers, alors que le mélodrame est en prose. Hugo joue ici un rôle essentiel. La préface de son irreprésentable *Cromwell*, en 1827, est un véritable manifeste : « le caractère du drame est le réel ; le réel résulte de la combinaison de deux types, le sublime et le grotesque, qui se croisent dans la vie et dans la création ». On en retrouve l'esprit dans *Hernani*, qui, donné pour la première fois au Français le 25 février 1830, provoque la bataille que l'on sait. Le théâtre romantique se place fort logiquement sous la figure tutélaire de Shakespeare, et invite ainsi les Français à découvrir la littérature de leurs voisins.

2. Les idées romantiques

Le romantisme est en effet un article d'importation. Il est d'abord apparu en Grande-Bretagne et en Allemagne, où les poètes, depuis la fin du XVIIIe siècle, réhabilitent le Moyen Âge, ses légendes, son mysticisme et son ingénuité qu'ils prétendent calomniés par un classicisme rationaliste et desséchant.

C'est en les imitant que Lamartine crée le romantisme poétique français (1820, *Les Méditations*).
Par ailleurs, le romantisme, qui valorise tant l'historicité, est lié à son époque. Il correspond en France à un phénomène de génération. La génération romantique est celle de la paix (de l'après-1815), de la dépression individuelle après l'épopée collective, de la liberté littéraire au sortir des années de censure napoléonienne ; mais elle est aussi l'héritière de l'idée de révolution, que l'on retrouve dans l'idéal de rupture, ou dans le refus romantique d'imiter.
Certes, politiquement, le romantisme, fasciné d'abord par la nature et le passé lointain, naît fort logiquement à droite *(cf.* le premier Cénacle, et les soirées de l'Arsenal) ; mais, dans les dernières années du règne de Charles X et pendant toute la décennie 1830, il évolue vers la gauche et, ce faisant, change de caractère : il devient moins individualiste, moins lyrique, plus social. Le Paris des étudiants (la bohème) et des émeutes de la décennie 1830 est romantique, et le romantisme s'y colore d'ailleurs d'une forte hostilité à la bourgeoisie « juste milieu », celle des propriétaires prudents et des professeurs étriqués.

3. L'influence sur le roman

Le romantisme s'évade du théâtre, influence le roman, qu'il charge de subjectivité, et s'y ramifie en romantisme historique (Dumas), en romantisme bucolique (George Sand), en romantisme social (Eugène Sue), en romantisme philosophique (Balzac, dans certaines de ses œuvres). Le roman connaît d'ailleurs une période particulièrement faste grâce à Balzac et à Stendhal. On n'oubliera pas cependant qu'Eugène Sue a alors beaucoup plus de succès que Stendhal : la publication en feuilleton des *Mystères de Paris* dans le *Journal des Débats,* en 1842-1843, provoqua même l'une des plus vastes correspondances de lecteurs de toute l'histoire du journalisme.
Quant à Balzac (1799-1850), il est de ces rares créateurs qui aient mérité de donner leur nom à une époque. Dans ce qu'il a appelé rétrospectivement *La Comédie humaine,* à savoir quatre-vingt dix romans écrits entre 1829 et 1848, il s'efforce d'être le zoologue de ses contemporains, mais un zoologue spiritualiste, qui cherche à dire le moral par le physique, l'être intérieur par la description minutieuse de son environnement.

4. Les arts plastiques

Les arts plastiques participent eux aussi à l'aventure romantique : le phénomène de génération y est particulièrement brutal, puisque le peintre officiel de la génération précédente, David, ancien conventionnel régicide, doit s'exiler à l'avènement de Louis XVIII. De tout jeunes peintres peuvent donc exprimer leur talent et leur originalité. C'est le cas de Géricault, dont le célèbre *Radeau de la Méduse* date de 1819. C'est aussi le cas de son ami Delacroix, dont les *Massacres de Chio* (1824) et *La Mort de Sardanapale* (1827) magnifient la couleur et rompent avec le dessin classique qu'incarnent alors Ingres, retour d'Italie, et les membres de l'Académie.

Si la sculpture semble suivre le mouvement (on peut citer ici les noms de Barye, étonnant sculpteur animalier, et surtout de Rude, qui réalise sa *Marseillaise* pour l'Arc de Triomphe de l'Étoile en 1835-1836), les principaux accomplissements du romantisme en ce domaine viendront plus tard.

La République hésitante (1848-1879)

L a période qui va de la proclamation du suffrage universel (mars 1848) à l'arrivée au pouvoir des républicains ferrystes (entre octobre 1877 et janvier 1879) est un moment très chargé de la chronique politique. Qu'on en juge : une république assez agitée, un coup d'État, un Empire autoritaire, un Empire libéral, un Empire parlementaire, une défaite militaire grave doublée d'une révolution politique puis d'une guerre civile, une république royaliste et, pour finir, une crise politique aiguë.

En même temps, ces trois décennies constituent une phase-charnière dans l'histoire globale du pays. C'est d'abord à ce moment-là que la notion de souveraineté du peuple, formulée dès la Révolution, prend un sens véritablement concret : les élections cessent de ne concerner qu'une minorité, les plus modestes sont censés faire des choix. Le paradoxe est que le vote du peuple semble alors incertain : on ne sait s'il va favoriser les forces issues de la Révolution ou celles de la Contre-Révolution.

Par ailleurs, les années 1850-1880 voient en même temps l'achèvement en France de la première révolution industrielle et le renversement de la conjoncture économique. Si l'exode rural – lisible dans les statistiques à partir de 1846 – fournit des bras à l'industrie, si le réseau ferroviaire s'accroît sensiblement et commence à produire des effets économiques, si d'importantes transformations affectent la banque et le commerce urbain, on change de conjoncture dès la fin du Second Empire et la concurrence étrangère se renforce aux dépens des productions nationales. Dans le troisième quart du XIXe siècle, l'économie française progresse incontestablement, mais elle cesse d'être la première du continent.

A– La Seconde République (1848-1851)
1. L'illusion lyrique

Le 24 février 1848, le changement de régime se fait dans une relative confusion. Sous la pression populaire (le Palais-Bourbon est envahi), la République est proclamée par les députés les plus à gauche qui veulent empêcher la répétition de 1830, c'est-à-dire la nomination d'une régente ou d'un lieutenant général ; elle l'est de nouveau, par des républicains plus avancés, à l'Hôtel de Ville : cent mille personnes rassemblées en place de Grève hurlent aussitôt leur joie.

→ **Le gouvernement provisoire**

Le gouvernement provisoire, désigné le soir même, est issu d'un compromis, obtenu à l'arraché, entre les deux tendances républicaines, celle des libéraux non socialistes (qu'ils soient députés ou journalistes au *National)* et celle des démocrates plus ou moins ouverts à l'idée socialiste (pour l'essentiel, les rédacteurs de *La Réforme).*

Il comprend :
– pour la première tendance, Dupont de l'Eure, Arago (à la Marine), Lamartine (aux Affaires étrangères), Crémieux (à la Justice), Ledru-Rollin (à l'Intérieur), Marie (aux Travaux Publics), Garnier-Pagès (aux Finances), Marrast ;
– pour la seconde, Flocon (le directeur de *La Réforme),* Louis Blanc (le théoricien socialiste) et Albert (le seul ouvrier des onze). D'autres ministres seront nommés par la suite, dont Hippolyte Carnot (à l'Instruction publique) et Victor Schoelcher (à la Marine).

Deux remarques :
– Ces hommes ont de grandes qualités personnelles, mais l'expérience politique leur fait cruellement défaut ;
– le centre de gravité du gouvernement provisoire est constitué du duo Lamartine/Ledru-Rollin, qui va s'efforcer de concilier le respect des formes démocratiques et l'amélioration de la condition populaire.

→ **Les mesures d'urgence**

La République qui naît ainsi cherche en effet à se démarquer de l'expérience terroriste de l'an II et mise clairement sur la bonté des hommes. Des mesures hautement symboliques sont rapidement prises : le suffrage universel est proclamé ; l'esclavage aux colonies (que Bonaparte avait rétabli en 1802, après la première abolition de 1794) est aboli ; la peine de mort est abrogée en matière politique ; la « fraternité » rejoint la « liberté » et l'« égalité » pour constituer définitivement la trilogie républicaine ; la guerre de conquête est proscrite. La République se dit ainsi démocratique, humaniste, étrangère à tout sectarisme.

Par ailleurs, des mesures économiques sont prises pour répondre à la crise aiguë qui sévit depuis 1846 : on relève considérablement les impôts directs, on crée de petites coupures de monnaie de papier, on multiplie en province les comptoirs d'escompte, on ouvre à Paris des « Ateliers nationaux » pour résorber le chômage. Enfin, si l'on renonce à créer un ministère du Travail, on rassemble dans l'ancienne chambre des Pairs une « commission du gouvernement pour les travailleurs » (la Commission du Luxembourg, à majorité ouvrière, qui examine tout à la fois les litiges courants et les systèmes socialistes) et on fixe la durée maximale de la journée de travail (10 h à Paris, 12 h en province). Il n'est pas étonnant dans ces conditions que l'esprit public ait d'abord été à l'enthousiasme sentimental. Plusieurs témoignages littéraires, dont les célèbres pages de Flaubert sur les clubs (qui se multiplient), attestent à Paris une libération de la parole et du sentiment, une atmosphère de fraternisation sociale.

Quant à la province, informée par le télégraphe optique dont le réseau est en place depuis 1843, elle réagit favorablement, mais avec, çà et là, plus d'emportement que la capitale. En effet, l'effondrement temporaire des autorités locales et le lourd contentieux social accentué par la crise sont bien souvent à l'origine de violences : violences contre les couvents-ateliers (à Lyon), contre la fiscalité indirecte (en plusieurs villes), contre le Code forestier ou les usuriers (dans les campagnes). Puis, le calme revient, dans une douce euphorie, partiellement religieuse (les curés acceptent de bénir les arbres de la Liberté) et l'attente optimiste de progrès qui ne sauraient tarder.

→ L'agitation politique

Aucun état de grâce ne dure très longtemps. Au bout d'un mois, le lyrisme fraternel cède la place à une atmosphère de lutte de classes, suscitée par les hommes de la Commission du Luxembourg, mais surtout par Blanqui, sorti de prison. Inquiète, la bourgeoisie parisienne proteste contre la réorganisation de la garde nationale par la manifestation des « bonnets à poil », le 16 mars ; le peuple lui répond dès le lendemain, en défilant massivement pour le gouvernement provisoire.

Surtout, la question des élections se pose très vite. Le gouvernement n'est que provisoire, le changement de régime implique la réunion d'une Constituante, élue au suffrage universel, et la gauche sent bien que la province, moins instruite, plus soumise aux notables, va voter dans un sens plutôt conservateur. L'enjeu pour elle est donc de retarder le plus possible les élections. De fait, elle commence par obtenir un report de deux semaines, mais elle échoue, dans sa manifestation du 16 avril, à faire prolonger ce délai.

Les élections du 23 avril donnent comme prévu une majorité aux modérés : à peu près 100 «républicains de la veille» et 500 «républicains du lendemain» sur 900 élus, essentiellement bourgeois. Le fossé se creuse entre l'aile avancée et le pays légal. L'extrême-gauche clubiste ayant appelé le Paris populaire à manifester en faveur de la Pologne, les manifestants, parmi lesquels s'étaient sans doute glissés un certain nombre de provocateurs, envahissent l'Assemblée (manifestation du 15 mai). Ils échouent à relancer la révolution et offrent au contraire aux modérés l'occasion d'une réaction légaliste dure. L'arrestation des meneurs du 15 mai (Blanqui, Barbès, Raspail, Albert) décapite durablement le mouvement populaire.

2. Les journées de juin et leurs conséquences

Affolée par l'indocilité du Paris populaire, la majorité de l'Assemblée, d'origine provinciale, décide de frapper un grand coup et de mettre un terme à l'expérience des Ateliers nationaux, chargés de tous les maux. L'annonce que les ouvriers des Ateliers doivent soit s'engager dans l'armée, soit gagner la province, provoque le soulèvement populaire passé dans l'histoire sous le nom de «journées de Juin» (23-25 juin). Les révoltés couvrent de barricades l'est de Paris, le Paris populaire. L'état de siège est alors proclamé, avec pleins pouvoirs au général Cavaignac, républicain mais homme d'ordre. Tout finit, le troisième jour, par une répression militaire en bonne et due forme.

➜ Le parti de l'Ordre et la Constitution de 1848

Le bilan est très lourd : plusieurs milliers de morts, 25 000 arrestations. Surtout, Juin a provoqué une terrible peur sociale, qui couvre de son ombre toute l'histoire ultérieure de la IIe République, désormais dominée par la droite. Les conservateurs de tout poil se regroupent dans ce qu'il est convenu d'appeler le «parti de l'Ordre», ayant son siège rue de Poitiers, et dont le fondement idéologique est une triple défense de la propriété, de la famille et de la morale qui va avec, à savoir la religion traditionnelle. Un fossé politique s'est ouvert entre la capitale et la province, désormais convaincue que Paris doit être tenu en lisière si l'on veut échapper au despotisme, au jacobinisme, au communisme.

La Constitution de 1848, achevée le 4 novembre 1848, en porte discrètement témoignage. Préparée par une commission dont firent partie Odilon Barrot, Tocqueville, Marrast et le fouriériste Victor Considérant, longuement débattue devant l'Assemblée tout entière, elle est originale par son monocamérisme et son extrême souci de la séparation des pouvoirs. Le pouvoir législatif appartient à une assemblée unique de députés élus pour trois ans au suffrage universel masculin (ce suffrage ne fait plus peur à la droite, depuis le résultat des élections du 23 avril, et on espère au contraire qu'il atténuera les poisons parisiens).

Le pouvoir exécutif appartient à un «président de la République»: c'est là une innovation importante, car jusque-là la notion de République excluait absolument tout gouvernement d'un seul et impliquait au contraire un exécutif collégial. Si le président n'est pas immédiatement rééligible au bout de son mandat de quatre ans (par crainte d'une monarchie déguisée), il est élu au suffrage universel et a donc la même légitimité que l'assemblée à laquelle il ne doit rien. L'institution présidentielle qui vient, bien sûr, via Tocqueville, de la Constitution des États-Unis, suscite l'ire des républicains de la veille qui, tel Jules Grévy, souhaiteraient que la réalité de l'exécutif appartienne à un «président du conseil des ministres» élu par l'assemblée. Car la constitution ne règle pas l'épineux problème des rapports entre les deux pouvoirs, séparés et égaux, ayant même origine et indépendants l'un de l'autre : l'assemblée ne choisit pas le président, le président ne peut dissoudre l'assemblée. Et s'il est clair que les deux pouvoirs doivent collaborer, en particulier par l'intermédiaire du cabinet (les ministres que nomme le président), la Constitution reste remarquablement discrète sur la responsabilité politique desdits ministres.

Bref, le régime est susceptible d'interprétations très différentes: il peut être régime d'assemblée avec un président effacé, régime présidentiel avec une assemblée tenue à l'écart, régime parlementaire avec collaboration des pouvoirs.

L'élection du président a lieu le 10 décembre 1848: elle voit, contre Cavaignac et quelques autres (dont Lamartine, laminé), le triomphe de Louis-Napoléon Bonaparte, élu avec 75 % des voix grâce au soutien du parti de l'Ordre (Thiers disait de lui, «c'est un crétin qu'on mènera»), mais surtout grâce à la cristallisation autour de son nom de la légende napoléonienne.

→ **L'élection législative du 13 mai 1849 et ses conséquences**

La suite de l'histoire de la Seconde République est surtout marquée par la récurrence de la peur sociale, et le conflit croissant entre le président et la majorité de l'assemblée. L'élection législative du 13 mai 1849 voit en effet une radicalisation du vote: sont élus 500 blancs (membres du parti de l'Ordre), 100 bleus (républicains non socialistes, proches du *National*), 200 rouges (républicains-socialistes, les «démoc-soc»); en même temps, l'élection de 1849 fournit une première carte de notre géographie électorale de longue durée: apparaît clairement en particulier le vote conservateur des régions cléricales de l'ouest et du sud du Massif central, mais aussi le vote socialiste de certaines régions rurales (la Dordogne, la Nièvre, l'Allier, le Var). Les conservateurs, même majoritaires, sont affolés par cet enracinement de la «Montagne» qui n'est pour eux qu'un ramassis de malfaiteurs.

Un certain nombre de décisions sont prises:

– l'épuration de l'administration mise en place en 1848 (Napoléon III n'aura pas à changer beaucoup de têtes après son coup d'État) ;
– la loi du 27 juillet 1849 restreignant la liberté de la presse ;
– la loi Falloux du 15 mars 1850 accordant aux congrégations la liberté de l'enseignement secondaire et au clergé paroissial un contrôle accru de l'enseignement primaire ;
– la loi du 31 mai 1850 ôtant le droit de vote aux indigents, aux petits délinquants, et à tous ceux qui ne pouvaient exciper de trois ans de domicile continu (elle éliminait 30 % du corps électoral) ;
– et même la loi Gramont de 1850 protégeant les animaux (on pensait que les mauvais traitements aux animaux, très fréquents, excitaient la cruauté bestiale du peuple rouge).

Le conflit entre le président et l'assemblée était, on l'a vu, inclus dans la constitution elle-même. Le président l'aggrava petit à petit en usant de son pouvoir de nomination et de représentation (recevant des généraux, visitant les provinces, choisissant les préfets), en sachant se démarquer de certaines mesures prises (en particulier de la loi du 31 mai 1850), en faisant pétitionner ses partisans sur le thème de la réforme constitutionnelle (qui seule pouvait lui permettre de se faire réélire en 1852).

3. Le coup d'État du 2 décembre 1851

La situation politique légale apparaît bloquée : les notables conservateurs, majoritaires à l'assemblée, craignent de plus en plus le prince-président. Le prince-président ne peut obtenir d'eux la révision constitutionnelle, qui nécessite une majorité des trois quarts (échec du vote de juillet 1851). S'il veut rester au pouvoir au-delà de 1852, il lui faut donc recourir à la force.

L'idée lui en vient sans doute assez tôt, et elle ne fait que se préciser au fur et à mesure qu'il approche du terme fatidique de son mandat.

➜ Les réactions des Parisiens

Le coup d'État a lieu le 2 décembre 1851. Les conjurés occupent nuitamment l'Imprimerie nationale et y font tirer les proclamations (« appel au peuple », « appel aux soldats ») qui, à partir du lendemain, seront placardées sur tous les murs de France et dont la première annonce la dissolution de l'assemblée et l'abrogation de la loi du 31 mai 1850 (on le voit, le coup d'État, à ses débuts, voudrait se marquer à gauche, disons du côté d'une gauche antiparlementaire), le prince prétendant ainsi « fermer l'ère des révolutions ».

Avant l'aube viennent les arrestations de «chefs de barricades» potentiels et de parlementaires réputés d'opposition (entre autres, de droite à gauche, Changarnier, Thiers, Cavaignac, Martin Nadaud). D'assez nombreux députés, à l'assemblée puis dans une des mairies de la rive gauche, cherchent à faire entendre raison aux soldats, impassibles, et à organiser le parti du refus. On en arrête plus de deux cents, parmi lesquels, pour quelques heures, Tocqueville, Falloux, Odilon Barrot. Au même moment, la gauche républicaine désigne un Comité de résistance où l'on trouve Schoelcher, Hugo, Carnot, Favre, et appelle le peuple à faire des barricades le lendemain, 3 décembre. Mais le peuple est hésitant. Les souvenirs des massacres de juin, l'absence de ses chefs (déjà en prison ou en exil), une réticence naturelle à l'égard des bourgeois de l'assemblée, les effets d'un certain bonapartisme populaire font qu'il reste globalement attentiste, ou qu'il résiste sans enthousiasme. Cela dit, une bonne partie de la bourgeoisie parisienne, légaliste, est très hostile au coup d'État et le manifeste par des huées. La troupe, nerveuse, tire sur les boulevards. Dès lors, les bourgeois, terrorisés, renoncent à toute résistance. En deux jours, le coup d'État a réussi à Paris.

➜ Les résistances en province

Il s'en faut de peu qu'il n'échoue en province. La résistance est en effet farouche dans certains départements du Centre et du Midi (Nièvre, Gers, Basses-Alpes, Var), qui s'étaient distingués en 1849 par leur vote républicain et où les frictions avec les représentants de la République droitière (à propos des maires, des journaux ou des cercles) avaient aiguisé, à gauche, un fort désir de revanche. Excipant de l'article 68 de la Constitution qui fait de la résistance à toute tentative de putsch un devoir civique, les habitants de petites villes sans garnison, voire de chefs-lieux de canton ou de simples villages, passent à la révolte ouverte contre la brigade de gendarmerie ou le représentant local du prince-président (on s'en prend parfois, mais plus rarement, à des notables ou des employeurs détestés) et peuvent même dans certains cas voler au secours d'une sous-préfecture menacée. Le département des Basses-Alpes échappe ainsi pendant plusieurs jours à tout contrôle de Paris, les insurgés tenant tête à des troupes envoyées de Marseille (bataille du défilé des Mées) avant de se disperser. Car tous ces mouvements, disparates, mal équipés, mal articulés les uns aux autres, ne peuvent soutenir la durée.

➜ La mise en place de la dictature

Ainsi la dictature se met-elle en place. Le coup d'État, initialement à gauche, est passé peu à peu à droite, sous la bannière de la «défense sociale». La presse conservatrice présente immédiatement la résistance rurale comme une jacquerie bestiale, qui justifie *a posteriori* l'initiative de Louis-Napoléon. La thèse bonapartiste vise d'ailleurs à faire croire que le prince-président a procédé à un coup d'État pour empêcher l'extrême-gauche de lancer une révolution l'année suivante. De fait, 1852 s'annonçait comme une grosse année électorale dont les « démoc-soc » avaient toute chance de sortir renforcés. Répétée *ad nauseam*, cette version tendancieuse permet de reconstituer le parti de l'Ordre, explique l'énorme succès remporté par Louis-Napoléon lors du plébiscite des 21-22 décembre 1851, ainsi que sa célèbre formule « je ne suis sorti de la légalité que pour entrer dans le droit ». Elle prétend aussi justifier la sévérité de la répression qui s'abat alors sur l'opposition républicaine.

Dans toute la France, les chefs républicains sont arrêtés ou proscrits, y compris dans des départements qui sont restés calmes après le coup d'État (le Loir-et-Cher connaît 137 arrestations). Les régions qui s'étaient soulevées sont soumises à un véritable régime de terreur. Enfin, on met sur pied les tristement fameuses « commissions mixtes » comprenant un préfet, un général et un juge, juridictions d'exception qui prononcent par milliers des peines de déportation en Guyane et en Algérie, des peines d'exil, des peines de placement sous surveillance de la police. De cette forfaiture originelle, le Second Empire ne se relèvera jamais totalement.

4. Bilan de la Seconde République

→ La cristallisation du bonapartisme

C'est une pensée politique originale, propre à la France, enracinée dans son histoire post-révolutionnaire, susceptible d'éclipses, oscillant entre la droite et la gauche. Aux sceptiques, Guizot disait : « c'est beaucoup d'être à la fois une gloire nationale, une garantie révolutionnaire et un principe d'autorité », résumant admirablement ce qui fit la force de Louis-Napoléon.

Sa gloire est en effet clairement liée au souvenir de l'oncle : au fur et à mesure que s'éloignent les mauvais côtés des guerres ou de la tyrannie napoléoniennes, se renforce le souvenir d'une grandeur administrative, diplomatique et militaire. Le règne de Napoléon Ier jouit du prestige d'une véritable épopée française, comparable aux plus grandes épopées de l'histoire universelle. Sa valeur de garantie révolutionnaire tient au lien qui unit Bonaparte à la Révolution : il en est l'héritier, en reconnaît les principes et chérit particulièrement la souveraineté de la nation. À travers la nation, il y a le peuple, et le bonapartisme aime le peuple, le paysan, l'artisan, le soldat surtout, objet de soins empressés.

En même temps, le bonapartisme apparaît comme un principe d'ordre et d'autorité ; il est même la famille politique que les autres familles de la droite classique rallient par temps de crise. Les notables bonapartistes sont soit des hommes qui n'ont pu se faire une place au soleil sous les précédents régimes (cf. les maréchaux du Premier Empire, cf. Rouher sous le Second), soit des individus sensibles aux qualités spécifiques du prétendant, soit des pusillanimes que rassure l'ascendant des Bonaparte sur l'armée et la police. De fait, entre 1848 et 1851, c'est essentiellement dans les campagnes, du moins dans celles qui ne sont ni trop légitimistes, ni trop républicaines, que se développe le bonapartisme. Dans le moindre village de France, il y a au moins un grognard qui, à la veillée, fait un récit enchanté des campagnes du Petit caporal, et transmet le flambeau de la légende aux jeunes générations.

C'est cet ensemble de fantasmes nationaux et sociaux que Louis-Napoléon a su instrumentaliser avec brio en 1848. Quasi inconnu en juin, il s'est retrouvé propulsé au premier rang en décembre par «une légende attachée à un nom» (Maurice Agulhon).

→ L'union des droites

C'est une autre caractéristique de la période. La Seconde République donne clairement à voir ce que peut produire en France la «peur sociale», à savoir l'émergence d'un parti de l'Ordre. Cette union des droites se manifeste en juin 1848, puis de nouveau en décembre 1851. Elle diabolise tout ce qui n'est pas l'ordre des notables, forgeant pour longtemps le mythe des «partageux» et du «spectre rouge» de 1852.

Cette alliance est conjoncturelle, certes, et ne peut durer très longtemps, mais elle a une grande efficacité politique: malgré le suffrage universel, les notables disposent des moyens de propagande qu'assure la fortune (presse, brochures) et fabriquent ainsi l'opinion.

→ L'idée républicaine se précise

La République, c'est la justice en politique. Ce lien avec la justice est extrêmement fort, sans doute renforcé par le romantisme et par Michelet (dont les suspensions au Collège de France encadrent symboliquement le régime). Le passage au suffrage universel est la fin d'une grande injustice.

Car la République, c'est une forme constitutionnelle sacrée qu'il faut savoir défendre contre les extrémistes de gauche, quand ils envahissent l'Assemblée, contre l'armée, quand elle est aux ordres d'un putschiste. C'est aussi une promesse de vie meilleure pour les plus modestes. Des deux composantes de l'idée républicaine, la plus politique prime la plus économique: c'est par le débat, l'élection et la représentation qu'on pense accéder au progrès.

Ainsi se diffuse dans la société tout entière le sentiment de l'importance du vote et de la loi, autrement dit de ce dont ne s'occupaient, jusqu'en 1848, que les notables censitaires. Une opinion démocratique se crée en profondeur. Il est très révélateur, et profondément émouvant, que le respect de la Constitution ait été défendu, au moment décisif, non seulement par des professionnels du droit, mais aussi et surtout par des petits et des ruraux. Enfin, il est clair que deux ingrédients du républicanisme français sortent renforcés de la conjoncture 1848-1851 : l'anticléricalisme, fondé sur le sentiment que l'Église choisit toujours le camp de la réaction et de la résignation, et l'hostilité au pouvoir personnel. C'est en ce sens que la pratique « rad-soc » de la Troisième République est l'héritière des expériences « démoc-soc » de la Seconde.

B – Le Second Empire (1852-1870)

1. L'Empire autoritaire (1852-1860)

Issu d'un coup d'État, le nouveau régime se devait de procéder à un changement institutionnel. L'appel au peuple du 2 décembre 1851 contenait les grandes lignes des aspirations du prince-président en la matière : délégation du pouvoir exécutif à un chef responsable nommé pour dix ans, élection du corps législatif au suffrage universel, création d'une seconde assemblée « formée de toutes les illustrations du pays, pouvoir pondérateur, gardien du pacte fondamental et des libertés publiques ». Le plébiscite du 22 décembre 1851, avalisant le coup d'État, donna au prince « les pouvoirs nécessaires pour établir une constitution ». Nous sommes ici au cœur du système bonapartiste, ce « césarisme démocratique » dans lequel le chef et le peuple dialoguent par-dessus tous les pouvoirs intermédiaires, mais aussi dans lequel le peuple a pour liberté première celle de faire confiance à son chef.

➜ La Constitution de janvier 1852

Ainsi muni des pleins pouvoirs, Louis-Napoléon désigne une commission de cinq membres (Rouher y fait l'essentiel du travail) et la constitution nouvelle peut être publiée dès le 15 janvier. Le régime défini par Rouher est suffisamment autoritaire pour que sa transformation en Empire ne nécessite pas une profonde modification de la constitution : un sénatus-consulte (en novembre 1852) rétablit la dignité impériale au profit de Louis-Napoléon qui prend le nom de Napoléon III ; un second plébiscite ratifie triomphalement cette restauration, qui prend effet à la date triplement symbolique du 2 décembre 1852.

Ces changements constitutionnels vont dans le sens d'un extrême renforcement du pouvoir exécutif. Le chef responsable a la haute main sur l'armée, la diplomatie, les fonctionnaires et les lois, dont il a l'initiative et qu'il fait préparer par un Conseil d'État dont il désigne les membres. Les ministres dépendent de lui seul et ne sont donc pas responsables devant le Corps législatif, dont ils ne peuvent d'ailleurs être issus. Le pouvoir législatif est réduit à sa plus simple expression : les députés du Corps législatif n'ont pas le droit d'initiative. Ils peuvent proposer des amendements aux projets de loi préparés par le Conseil d'État, mais c'est celui-ci qui décide si l'amendement en question peut être ou non discuté par le Corps législatif! Les députés n'ont pas le droit d'interpellation, ils ne peuvent voter ni l'ordre du jour, ni une adresse en réponse à un message de l'empereur. La tribune est supprimée : on parle de sa place, ce qui est gage de concision et de sobriété. Enfin les journaux ne peuvent reproduire des débats (ou de ce qu'il en reste) que le résumé officiel fait par le gouvernement. On comprend qu'un libéral ait parlé du Corps législatif comme d'une « cave sans air ». Le Sénat n'est pas une chambre haute chargée de discuter les lois mais le conservatoire de la Constitution. Il peut annuler les votes du Corps législatif s'il les trouve « contraires à la religion, à la morale, à la liberté des cultes, à l'inviolabilité des propriétés », mais aussi « à la liberté individuelle, à l'égalité des citoyens, à l'inamovibilité de la magistrature ». Autre indice de défiance à l'égard du libéralisme parlementaire, la possibilité du plébiscite, qui sera plusieurs fois utilisée par l'Empire.

➜ L'arsenal répressif

La vie politique est dès lors réduite à peu de chose. Les libertés publiques sont suspendues. Le nouveau régime bénéficie de l'arsenal répressif des régimes précédents et il l'utilise avec une extrême rigueur. Il s'octroie aussi de nouveaux droits : au lendemain du coup d'État, on déporte en Algérie ou à Cayenne, par simple décision administrative, les individus suspects d'appartenir à des sociétés secrètes ou de menacer l'ordre public. S'ouvre le règne, on s'en doute, du ragot et de la police expéditive, dont les pratiques sont codifiées par la loi de sûreté générale de 1858 votée après l'attentat d'Orsini : quiconque a fait l'objet de condamnations politiques depuis 1848 peut être déporté ou exilé sans procès.

La liberté de réunion est complètement entravée : les clubs sont dissous, les formations politiques sont dispersées, les réunions sont interdites ou surveillées ; l'ouverture des débits de boisson est contrôlée par les préfets.

Le régime de la presse devient policier. Tout directeur de journal doit obtenir une autorisation préalable, verser une grosse caution (de 15 000 à 50 000 F) et un droit de timbre de six centimes par numéro imprimé. Cela ne le met pas à l'abri des sanctions, qui sont de deux types :
– les amendes : une condamnation à amende entraîne, pour le rédacteur en chef, la perte de sa fonction pour trois ans ; deux condamnations en moins de deux ans entraînent la suppression du journal ;
– les avertissements, par les préfets ou le ministère de l'Intérieur : deux avertissements valent la suspension du titre pendant deux mois, trois avertissements entraînent sa disparition définitive ; en 14 mois, 91 journaux de province disparaissent de cette façon.

La presse n'est pas autorisée à rendre compte des procès de presse, la censure des théâtres est rétablie, le colportage surveillé de près. Les lycées et l'enseignement supérieur sont dirigés d'une main de fer par le ministre Fortoul. La pratique la plus traditionnelle est valorisée par rapport à la formation de l'esprit critique. L'École normale est jugulée, et les disciplines d'agrégation réduites à deux (lettres et sciences, ce qui permet de faire disparaître ces spécialités dangereuses que sont l'histoire et la philosophie). Le personnel est épuré, contraint à prêter serment de fidélité, tenu en lisière (on lui interdit la barbe, jugée trop républicaine, on note son comportement confessionnel).

Enfin, la vie électorale elle-même est placée sous haute surveillance. La pratique de la candidature officielle est mise en place par la circulaire du 11 février 1852 : le candidat du gouvernement, dit candidat officiel, dont les frais de campagne sont payés par le contribuable et, a seul droit à l'affiche blanche au soutien des maires. Cela dit, l'Empire, même autoritaire, a quelques effets politiques positifs. Il fait apparaître la circonscription, promise à un bel avenir : le cadre départemental est ainsi fractionné en plusieurs unités, selon un découpage (nous dirions un charcutage) revu par le ministère de l'Intérieur à chaque élection. Il peut permettre, dans certains cas, une relative émancipation de l'électeur par rapport à l'Église ou aux notables locaux, du moins lorsque ceux-ci n'ont pas été choisis comme candidats officiels.

➜ Les acteurs de l'Empire autoritaire

L'expression politique du peuple ainsi ligotée, quels sont donc les vrais acteurs de l'Empire autoritaire ? Napoléon III est un personnage un peu énigmatique : il aime le pouvoir pour le pouvoir, ne s'embarrasse guère de principes, n'est ni très intelligent ni très cultivé et se méfie des gens d'esprit. Mais dans le même temps, il s'intéresse au mouvement du progrès technique et économique, souhaite venir en aide aux malheureux (ancien *carbonaro*, il a écrit un traité de l'extinction du paupérisme), prend des avis dans toutes les familles de pensée. D'où une pratique composite où entrent, en proportions variables, la volonté de complaire au catholicisme intransigeant (au moins jusqu'en 1859), l'effort de ralliement des notables orléanistes, le souci saint-simonien de l'organisation et du développement industriels.

Sa propre famille joue un rôle un peu confus. L'impératrice Eugénie (une belle Espagnole, épousée en 1853, qui lui donne le prince impérial en 1856) pèse en faveur du conservatisme. Le prince Napoléon («Plonplon»), très anticlérical, montagnard sous la Seconde République, pèse en sens inverse. Le vieux prince Jérôme, frère de Napoléon 1ᵉʳ, est plus un fétiche qu'autre chose. Le demi-frère de l'empereur, Morny, arriviste et jouisseur, a peu d'influence réelle. Quant à sa cousine, la princesse Mathilde, qui tient un salon fort brillant, elle n'a d'action que sur les choses de l'esprit. Les ministres (Persigny et Billault à l'Intérieur; Rouher à l'Agriculture, au Commerce et aux Travaux Publics; Fould, ministre d'État puis des Finances) sont de grands commis (nous dirions aujourd'hui des technocrates) qui n'envisagent guère les problèmes que sous leur aspect technique, la censure les débarrassant de toute polémique politique. Ils appliquent toujours in fine les recommandations impériales. Le préfet de la Seine de 1853 à 1870, Haussmann, joue en fait le rôle de ministre de Paris, et profite du climat politique général (jusqu'en 1860) pour imposer d'énormes expropriations et d'imposants chantiers à la masse des propriétaires parisiens, furieux, mais réduits au silence.

→ Le « tournant de 1852 »

Car l'œuvre de l'Empire autoritaire n'est pas négligeable, en particulier dans le domaine économique, et il y a bel et bien un « tournant de 1852 ». Nous retrouvons ici l'influence saint-simonienne : le seul gouvernement qui compte est le gouvernement économique. Napoléon III entend donner un certain nombre d'impulsions, faire des investissements productifs, quitte à mettre à mal les règles de la stricte orthodoxie budgétaire. Il veut créer un climat favorable à l'entreprise individuelle. D'où la création, dès 1852, du Crédit mobilier et du Crédit foncier, banques privées à participation publique ; d'où le soutien systématique apporté par l'État aux compagnies ferroviaires. Tout cela, ajouté à la très bonne conjoncture internationale de la décennie 1850 (retour en phase A), ne manque pas de porter des fruits.

→ La politique étrangère

Autre volet important de la décennie 1850 : la politique étrangère. Dans son célèbre discours de Bordeaux (« l'Empire, c'est la paix », 1852), Napoléon III s'est présenté d'entrée de jeu comme résolument hostile à toute guerre de conquête. Il n'empêche qu'il désire ardemment la révision des traités de 1815 (c'est un aspect important du bonapartisme de gauche), et la fin du système d'alliances qui interdit à la France de jouer un rôle moteur en Europe. Il s'efforce, par la participation française à la guerre de Crimée contre la Russie, en 1854-1855, de créer un front franco-britanno-savoyard opposé aux puissances conservatrices. Le congrès de Paris, qui met un terme au conflit en 1856, atteste bel et bien la montée en puissance de la diplomatie française.

2. Le tournant de 1859-1860 et l'Empire libéral

Vers 1859-1860, la machine mise en place en 1851-1852 commence à donner quelques signes de faiblesse. Ou plutôt, la pratique un peu composite du régime finit par laisser apparaître d'insurmontables contradictions. En politique étrangère, Napoléon III soutient la maison de Savoie dans sa lutte contre l'Autriche pour la réalisation de l'unité italienne. Or cette unité ne peut être réalisée qu'en sacrifiant la puissance temporelle du pape (c'est ce qu'on appelle alors la « question romaine »). Les catholiques intransigeants protestent avec vigueur contre ce qui est pour eux un véritable crime de lèse-majesté pontificale, et cessent de soutenir l'Empire aussi fermement qu'ils le faisaient, pour la plupart, jusque-là. L'empereur, privé d'un appui considérable dans le camp conservateur, cherche davantage l'appui populaire ou libéral. On ne peut comprendre autrement l'histoire de la décennie 1860.

➜ **L'opposition des notables catholiques et des milieux d'affaires**

Tout commence très curieusement avec l'attentat d'un nationaliste italien, Orsini, contre le couple impérial en 1858. L'auteur de l'attentat espérait provoquer ainsi une vague révolutionnaire dans toute l'Europe. Si, dans le court terme, Orsini est condamné à mort et le régime durci, Napoléon III va suivre le conseil du Romagnol : il décide de soutenir la maison de Savoie dans son effort d'unification de la péninsule italienne. Car une de ses convictions les plus anciennes est que les peuples ont le droit de disposer d'eux-mêmes, que la France peut les y aider, et qu'elle prendra ainsi sa revanche sur 1815. D'où les contacts pris avec la maison de Savoie (entrevue de Plombières de Napoléon III et de Cavour en 1858), et l'entrée en guerre contre l'Autriche en 1859. La guerre, assez populaire à gauche, débouche sur la victoire de Solférino et, à terme, en 1860, sur la cession à la France de la Savoie et du comté de Nice. Tout cela coûte cependant à l'empereur le soutien du pape et des catholiques.

À l'affaire italienne s'ajoute très vite celle du traité de commerce franco-britannique de 1860. Ici aussi interviennent « les idées napoléoniennes ». L'empereur est profondément libre-échangiste, par souci de l'émulation technique et de la consommation populaire, par empirisme aussi (l'industrie nationale ne peut fournir à une demande ferroviaire croissante). En grand secret, un traité est préparé par Michel Chevalier et Cobden, qui est finalement adopté par l'empereur le 23 janvier 1860, et suivi d'une série d'accords douaniers d'inspiration similaire avec d'autres puissances européennes. Il prévoit que la France exempte de taxes la plupart des matières premières et denrées alimentaires britanniques, et n'établisse sur le charbon et les produits industriels que des droits de 30 %. En sens inverse, le Royaume-Uni laisse entrer en franchise un grand nombre de produits finis et abaisse considérablement ses droits sur les vins. Si ses effets économiques sont discutables, ses effets politiques sont clairs : les milieux d'affaires sont ulcérés par cette décision solitaire (ils parlent de « coup d'État douanier ») qui, selon eux, porte atteinte aux intérêts français. Une opposition supplémentaire vient ainsi s'ajouter, dans les élites, à celle des notables catholiques.

➜ Les autres changements de politique extérieure

D'autres décisions soulignent le tournant de 1860-1861, même si elles sont moins importantes que les deux précédentes : le changement de politique en Algérie, l'expédition du Mexique.

C'est à partir de son voyage algérien de 1860 que Napoléon III se prend à rêver d'un grand « royaume arabe » (une sorte de protectorat) où seraient protégés les biens, la dignité et la religion des trois millions de musulmans que compte la colonie française ; il était prévu que tous les Algériens pussent demander la citoyenneté française. C'est à peu près au même moment qu'il imagine une intervention française dans la guerre civile mexicaine, du côté du nouvel empereur Habsbourg, Maximilien. L'expédition française se fait au nom de la solidarité latine, en 1861. Ces rêves n'aboutiront à rien de bien tangible. Les colons européens d'Algérie sont trop intéressés aux expropriations d'indigènes, l'expédition du Mexique, impopulaire en France et mal commandée sur le terrain, tourne assez vite à la catastrophe. Mais on a bien là la preuve que les projets novateurs se sont bousculés, vers 1860, dans la tête impériale.

➜ La libéralisation du régime impérial

Ayant suscité l'opposition du parti de l'Ordre qu'il s'était rallié en 1851, désireux peut-être aussi de ne pas remettre davantage « la satisfaction légitime des besoins du peuple » promise dans sa proclamation du 2 décembre, l'empereur est obligé de changer de politique. Il décide donc des mesures de libéralisation : amnistie des proscrits en 1859, droit d'adresse accordé au Corps législatif et au Sénat en 1860, droit de retranscription des séances accordé aux journaux. Dans le même temps, Persigny prend, en 1861, des mesures contre la très catholique Société de Saint-Vincent-de-Paul qu'il humilie en lui appliquant les mêmes dispositions réglementaires qu'à la franc-maçonnerie. Enfin, en 1863, un libre-penseur désireux de réformes, Victor Duruy, devient ministre de l'Instruction publique. Tout cela, dans le court terme, va moins loin qu'on ne le dit parfois. Les élections de 1863 voient encore triompher la candidature officielle, et le gouvernement est dominé par le très autoritaire Rouher de 1863 à 1869. Mais un mouvement irréversible est amorcé, renforcé encore après 1867-1868. On passe du droit d'adresse au droit d'interpellation (1867); l'autorisation préalable et les avertissements sont supprimés en matière de presse; les réunions électorales sont autorisées. La libéralisation du régime impérial a un effet prévisible: elle accroît la visibilité, la détermination et le nombre des mécontents. La bonne société est désormais convaincue que le pouvoir personnel comporte des risques, et garde la nostalgie du libéralisme parlementaire et du gouvernement modéré de la monarchie de Juillet. Aux élections de 1863, l'opposition (légitimistes, libéraux et républicains confondus) parvient à multiplier par trois le nombre de ses électeurs et obtient de beaux succès dans les villes: à Paris, 63 % des voix vont aux républicains. En janvier 1864, c'est Thiers qui a réclamé à la tribune du Corps législatif les « cinq libertés nécessaires » (liberté individuelle, liberté de la presse, liberté des élections, droit d'interpellation, responsabilité des ministres) dont certaines ont été concédées par le régime en 1867-1868. En 1865, le programme de Nancy, cosigné par Guizot, Montalembert, Jules Simon et Jules Ferry, atteste le succès du thème décentralisateur (dans le sillage des thèses tocquevilliennes de *L'Ancien Régime et la Révolution,* paru en 1856) chez des hommes très différents, qu'unit une commune répulsion pour la toute-puissance administrative du régime. Il se trouve même des bonapartistes pour demander des réformes (cf. le « tiers parti » au Corps législatif).

Au même moment, Napoléon III intervient dans le domaine social. Les bonapartistes de gauche (le prince Napoléon, les grands saint-simoniens de l'entourage impérial) le poussent à prendre des mesures rapides: financement du voyage d'une délégation ouvrière à l'Exposition universelle de Londres en 1862; tolérance à l'égard de l'adhésion à l'Association Internationale des Travailleurs, créée en 1864; octroi du droit de grève en 1864; abolition des dispositions judiciaires défavorables à l'ouvrier dans les litiges entre ouvriers et patrons en 1866.

Ici encore, les effets sont décevants pour l'Empire. Les ouvriers profitent du droit de grève, mais restent très réticents à l'égard du régime. Malgré le proudhonisme qui dévalorisait les luttes politiques et pouvait favoriser la coopération avec le bonapartisme de gauche, ils demeurent attachés à la tradition révolutionnaire parisienne et, pour beaucoup, au rêve républicain.

C'est en matière de politique étrangère que l'Empire en crise de la fin des années 1860 rencontre d'autres difficultés. L'expédition au Mexique, voulue par l'empereur seul, se révèle désastreuse (1867). Par ailleurs, pour ne pas créer une situation plus explosive dans le catholicisme français, Napoléon III soutient le pape *in extremis* (expédition de 1867 contre Garibaldi, bataille de Mentana) et, ce faisant, mécontente la maison de Savoie, devenue bien plus puissante depuis les diverses annexions des années précédentes. L'empereur s'entend aussi avec la Prusse et favorise ainsi sa victoire sur l'Autriche à Sadowa (1866). Mais cette victoire est tellement rapide qu'elle interdit à la France les compensations escomptées (politique dite «des pourboires» visant le Luxembourg ou la rive gauche du Rhin). Dans le même temps, la Prusse apparaît comme l'acteur essentiel de l'unité allemande, et un voisin de plus en plus menaçant. Or, le régime est incapable de réunir le consensus législatif nécessaire au renforcement des très insuffisantes réserves françaises. C'est avec une quasi-armée de métier, essentiellement apte aux guerres coloniales, que la France affrontera en 1870 l'armée nationale et moderne de Guillaume de Prusse.

Ainsi comprend-on mieux le climat délétère de la fin du règne. Les opposants au régime profitent de toutes les libertés lâchées au compte-goutte depuis 1860. Le climat social s'alourdit de nombreux conflits à partir de 1868, et la campagne électorale de 1869 prend un tour absolument passionné. Le journalisme républicain renaît de ses cendres (cf. La Lanterne de Rochefort, lancé en 1868). Quelques affaires sont l'occasion d'instruire le procès du régime et d'exalter ses martyrs : procès Delescluze à propos du monument Baudin ; incident Cavaignac à la distribution des prix du concours général (le lauréat, fils du général républicain, refuse de recevoir sa récompense des mains du prince impérial). De nouveaux chefs de file apparaissent dans le camp républicain, moins lyriques et plus positifs que ceux de la génération quarante-huitarde : Léon Gambetta, qu'a rendu célèbre sa plaidoirie de 1868 au procès Delescluze, et surtout Jules Ferry, qui se fait connaître en 1867 par une série d'articles dénonçant «les comptes fantastiques d'Haussmann» et prononce, en avril 1870, un important discours sur «l'égalité d'éducation» à la salle Molière.

Tout cela explique que les résultats des élections de 1869 soient plus mauvais encore pour le régime que ceux de 1863. L'opposition talonne les candidats gouvernementaux (si l'on tient compte de l'abstention, ceux-ci n'ont plus pour eux qu'une minorité des inscrits) ; il n'y a d'ailleurs au Corps législatif qu'une centaine de bonapartistes purs et durs (les «mameluks»), sur près de 300 députés ; Gambetta et Ferry sont élus députés de Paris.

Tout en adoptant une attitude de fermeté contre les grévistes (envoi de la troupe à La Ricamarie faisant 14 morts en juin 1869), l'empereur choisit la seule solution politique possible : la solution parlementaire. Par le sénatus-consulte du 20 avril 1870, les ministres sont désormais responsables à la fois devant l'empereur et le Corps législatif (le cabinet Émile Ollivier, désigné le 27 décembre 1869, était d'ailleurs à l'image de la majorité parlementaire) ; le Sénat est transformé en chambre haute. Napoléon III s'efforce alors de reprendre l'initiative par le plébiscite de mai 1870, qui vise à détourner à son profit le bénéfice des mesures libérales égrenées depuis 1860, qu'on demande aux électeurs d'approuver ou de désapprouver. C'est un succès : plus de 7 millions de oui, moins de 2 millions de non. L'Empire semble en sortir renforcé, même si à Paris le non est majoritaire. De fait, le gouvernement d'Émile Ollivier est un gouvernement conservateur, favorable aux milieux d'affaires à qui il promet le retour au protectionnisme et garantit l'ordre social. Il réprime particulièrement les mouvements ouvriers par l'arrestation des dirigeants français de l'Internationale, dont le rôle dans l'agitation va croissant. L'agitation républicaine, socialiste, ouvrière continue donc, comme on le voit lors des funérailles du journaliste Victor Noir, assassiné par un membre de la famille Bonaparte en janvier 1870, ou lors des grandes grèves du Creusot du printemps 1870. La fin de l'Empire correspond d'ailleurs à une phase de division du camp républicain. En 1865-1866, à l'occasion de l'importante polémique historique suscitée par l'ouvrage d'Edgar Quinet, en exil, sur la Révolution, les modérés répudient l'héritage de la Terreur jacobine (Ferry soutient Quinet contre le néo-jacobin Peyrat). Ils se distinguent donc désormais clairement des radicaux et des néo-jacobins, farouches admirateurs de Robespierre, recréant d'ailleurs par leur éloquence enflammée un climat de peur sociale. Les uns et les autres imposent cependant un style physique républicain : souvent la barbe, toujours la moustache (en souvenir de 1852 et parce que ces ornements pileux sont un signe de liberté interdit aux domestiques).

C- La guerre franco-prussienne et la Commune
1. La défaite : juillet 1870 – mai 1871
La guerre franco-prussienne éclate à propos d'une candidature Hohenzollern au trône d'Espagne, vacant depuis la révolution de 1869. La France obtient le retrait de cette candidature le 12 juillet 1870, mais pas un engagement formel de la Prusse à empêcher le renouvellement d'une pareille candidature. Bismarck, qui veut la guerre, maquille ce refus partiel en affront. Il imagine la dépêche d'Ems («le roi a refusé de voir l'ambassadeur et lui a fait dire par l'aide de camp de service qu'il n'avait plus rien à lui communiquer») et excite ainsi le nationalisme de l'opinion française. Si Ollivier et certains modérés souhaitent éviter l'emballement, l'entourage impérial, en particulier l'impératrice, veut la guerre pour raffermir le trône. Le 15 juillet, le corps législatif vote les crédits militaires ; le 19 juillet, la guerre est déclarée.

Les opérations militaires sont rapidement désastreuses pour la France. L'isolement diplomatique, l'infériorité numérique (les troupes françaises sont deux fois moins nombreuses que celles de l'adversaire), l'infériorité logistique (le transport des hommes aux frontières est très mal organisé), l'infériorité du commandement (l'usage des cartes d'état-major laisse beaucoup à désirer ; les officiers français sont plus des sabreurs que des techniciens) conjuguent leurs effets. Les défaites s'accumulent en Alsace, tandis que Bazaine se laisse enfermer dans Metz avec une armée de 200 000 hommes. Marchant à son secours, l'empereur est vaincu à Sedan le 1er septembre, et doit capituler sans condition. Il n'y a plus d'autre armée organisée que celle de Bazaine, assiégée dans Metz.

→ **Les événements du 4 septembre**
L'annonce de Sedan provoque la révolution à Paris le dimanche 4 septembre. L'impératrice Eugénie et le ministère Palikao (qui remplace le ministère Ollivier depuis août), aux abois, ont convoqué le Corps législatif en séance dans la nuit du 3 au 4. Au matin du 4 septembre, tandis que la foule entrée au Palais-Bourbon exige la déchéance de l'Empire, des députés républicains (Gambetta, Favre) rejoignent l'Hôtel de Ville et y proclament la République. Un gouvernement de la défense nationale y est formé sous la direction de Trochu et de Jules Favre. L'impératrice s'enfuit et, via Deauville, gagne l'Angleterre.
Trois remarques à propos de ces événements du 4 septembre:
– l'échec social de Napoléon III et son échec politique sont liés: la politique sociale du Second Empire a échoué pour plusieurs motifs (dont la mauvaise volonté des élites et la faiblesse des budgets *ad hoc* par rapport aux dépenses militaires), mais essentiellement parce que le peuple de Paris ne s'est jamais laissé convertir au «césarisme démocratique», comme le prouve sa participation au 4 septembre;
– le Second Empire est condamné sans appel et, avec lui, la personnalisation du pouvoir, tombeau des libertés et origine des catastrophes militaires;
– le gouvernement provisoire est investi d'une responsabilité écrasante: redresser la situation militaire compromise par le régime précédent, tenir tête à l'invasion, défendre Paris; sa légitimité cependant est faible: il apparaît vite trop modéré aux éléments les plus avancés de Paris, trop avancé aux yeux de l'opinion provinciale, qui se méfie de ses origines insurrectionnelles et parisiennes; de là son double échec, militaire et politique.

→ **L'échec militaire et politique du gouvernement provisoire**
L'échec militaire se noue en trois temps:
– entre le 4 et le 20 septembre, brève euphorie, qui s'achève par le début du siège de Paris le 19 septembre, et l'entrevue de Ferrières entre Jules Favre, demandeur d'un armistice, et Bismarck, aux exigences implacables;
– du 20 septembre au 28 janvier 1871, appel aux armes: Gambetta, alors ministre de l'Intérieur, joue ici un rôle considérable en quittant Paris en ballon pour Tours, dans l'espoir de coordonner des opérations militaires qui permettraient de libérer Paris; de fait, les quatre armées du gouvernement provisoire (les deux

armées de la Loire, l'armée du Nord, l'armée de l'Est) doivent battre en retraite, tandis que Bazaine, qui a refusé de reconnaître le gouvernement de la défense nationale, capitule sans raison valable et que les chancelleries étrangères, sollicitées par Thiers, refusent d'intercéder en faveur de la France ;
– armistice électoral de trois semaines signé par Jules Favre le 28 janvier 1871 : les combats cessent afin que les Français puissent élire une assemblée nationale qui fournira un interlocuteur légitime à Bismarck.

L'échec politique vient avec l'élection de ladite assemblée (assemblée de Bordeaux). S'affrontent alors au scrutin de liste départemental des candidats républicains, généralement favorables à la continuation de la guerre, et des candidats conservateurs, favorables à la paix. Les conservateurs l'emportent massivement, sauf dans l'Est où l'on veut continuer le combat pour éviter l'annexion, et dans les villes où la fin de l'Empire a puissamment développé le camp républicain. Au total, ces conservateurs sont plus de 400 (souvent nobles : il y a, à Bordeaux, 230 aristocrates !) : 180 légitimistes, 210 ou 220 orléanistes, 20 bonapartistes. Les républicains sont à peine plus d'un tiers, soit 80 orléanistes ralliés à la République (dont Thiers et Dufaure), 110 républicains modérés (les quatre Jules : Simon, Grévy, Ferry, Favre), 40 radicaux réclamant l'application du programme de Belleville (Gambetta, Clemenceau, Louis Blanc). En somme, une assemblée essentiellement vieille France, rurale, passablement inexpérimentée, et une République qui s'annonce bien peu républicaine.

→ **La signature de la paix**
La conclusion de la paix est le résultat des défaites militaires et du pacifisme majoritaire à l'assemblée de Bordeaux. Thiers, désigné « chef du pouvoir exécutif de la République française » et envoyé à Versailles où se trouve Bismarck (l'Empire allemand vient d'être proclamé dans la Galerie des Glaces), doit accepter les conditions du chancelier (préliminaires de paix de février, donnant la trame du traité final).

Les clauses financières du traité de Francfort du 10 mai 1871 sont extrêmement lourdes : la France doit verser 5 milliards de francs-or, par échéances étalées sur trois ans ; les clauses territoriales sont plus douloureuses encore : la France doit céder à l'Allemagne l'Alsace – sauf Belfort – et le Nord de la Lorraine, c'est-à-dire tous les gisements de fer lorrains alors exploitables. La protestation des Alsaciens-Lorrains est immédiate : « nous proclamons à jamais inviolable le droit des Alsaciens et des Lorrains à rester membres de la nation française ». Elle ne s'éteindra pas, et avec elle demeurera l'essentiel du contentieux franco-allemand jusqu'en 1918.

En 1871, l'isolement de la France est extrême: seule la diète de Prague manifeste alors sa sympathie aux Alsaciens-Lorrains annexés en dénonçant solennellement une violation flagrante du droit des peuples à disposer d'eux-mêmes. La catastrophe du traité de Francfort renforce d'ailleurs la dimension idéaliste du nationalisme français: «la patrie, c'est ce qu'on aime» écrit l'historien français Fustel de Coulanges à son collègue allemand Mommsen, pour protester contre le déterminisme ethnique ou culturaliste du nationalisme allemand.

2. La Commune (18 mars - 28 mai 1871)

À la défaite militaire vient s'ajouter la guerre civile. Les origines de la Commune sont à chercher à plusieurs niveaux. Il y a d'abord la riche sédimentation des mouvements révolutionnaires parisiens depuis plusieurs générations: on trouve à Paris, en grand nombre, des néo-jacobins, des blanquistes, des proudhoniens, des anarchistes, des vieilles barbes quarante-huitardes et de jeunes républicains de gouvernement positiviste. Il y a ensuite l'épuisement physique, et moral de la population parisienne: le siège, d'une exceptionnelle rigueur, a duré quatre mois pendant lesquels les Parisiens ont mangé du chat, du rat et les animaux du Jardin des Plantes; l'humiliation des préliminaires de paix du 26 février qui ont permis aux Prussiens de parader dans les rues est durement ressentie par une population particulièrement nationaliste depuis 1789. Enfin, les mesures prises par l'assemblée sont teintées de malveillance à l'égard des Parisiens: suppression de la solde des gardes nationaux, suppression du moratoire des loyers commencé avec la guerre, désignation d'Aurelles de Paladine à la tête de la garde nationale de Paris. L'élément déclenchant est l'affaire des canons de Montmartre, le 18 mars 1871. Il s'agit de canons de la garde nationale que Thiers trouve plus prudent de confier à l'armée régulière. Les deux divisions de ligne à qui la mission est confiée sont travaillées au corps par la population parisienne: les troupes se rallient; deux généraux sont fusillés; Thiers décide alors l'évacuation de toute la ville.

➜ Les divergences politiques entre l'Assemblée et la garde nationale

Dès lors commence l'histoire de la Commune, c'est-à-dire l'histoire du conflit entre la garde nationale de Paris et l'assemblée réactionnaire de Versailles (où elle s'est installée après avoir quitté Bordeaux). Le comité central de la garde nationale s'installe à l'Hôtel de Ville, où s'affrontent blanquistes et proudhoniens. Les blanquistes veulent que le comité central de la garde nationale soit un gouvernement provisoire, marche sur Versailles, disperse l'assemblée, exerce le pouvoir. Les proudhoniens considèrent que ce qui se passe ne touche que Paris, qu'il suffit de procéder à l'élection d'une Commune et d'obtenir de Versailles la reconnaissance des libertés parisiennes. Le résultat de ces tiraillements, c'est que les décisions prises sont timides: on rétablit le moratoire des loyers et la solde des gardes nationaux, on négocie deux emprunts avec la Banque de France et la banque Rothschild. Pendant ce temps, alors que les communes de province échouent très vite (à Marseille, Toulouse, Lyon, Saint-Étienne, Le Creusot), les Versaillais négocient la libération d'une partie des prisonniers, et constituent l'armée de Satory commandée par Mac-Mahon.

➜ L'élection de la Commune et les décrets

Les élections parisiennes du 26 mars créent la Commune proprement dite. L'assemblée municipale ainsi élue comprend, sur 90 membres issus du peuple instruit, voire de la petite bourgeoisie intellectuelle (mais pas du prolétariat): 20 modérés, dont Méline, qui démissionnent très vite; 20 militants de l'Internationale majoritairement proudhoniens, dont Vaillant et Pottier, comprenant également une poignée d'anarchistes et deux marxistes; 10 blanquistes dont Blanqui; 40 «divers» dont Delescluze, Vallès, Courbet et Clément. L'opposition fondamentale reste la même, entre une majorité d'inspiration jacobine que les souvenirs de la Révolution française rendraient dictatoriale, belliciste, et une minorité d'inspiration proudhonienne, fédéraliste, anarchisante, plus pacifiste et internationaliste. Cette minorité parvient à imposer son point de vue dans la Déclaration au peuple français du 19 avril 1871: la République serait formée de communes autonomes librement associées; les fonctionnaires, les juges, les officiers seraient tous élus; la centralisation, créée par la monarchie, maintenue par tous les régimes successeurs et renforcée par le Second Empire, serait abolie.

Si, comme en 1848, la parole est libérée et la floraison de clubs et de journaux tout à fait exceptionnelle (cf. Le Cri du peuple de Vallès), l'œuvre de la Commune est fort limitée et nettement moins sociale que politique: séparation de l'Église et de l'État; instruction gratuite, laïque et obligatoire; légitimation des enfants illégitimes; abolition de la conscription. Les mesures économiques se limitent à l'interdiction du travail de nuit des ouvriers boulangers et à quelques mesures en faveur des coopératives ouvrières. Bref, le communard, ennemi du curé, du spéculateur, du rentier, du gros, est clairement l'héritier du sans-culotte de l'an II plus que l'ancêtre du militant du XXᵉ siècle.

➜ L'échec de la Commune

Mais la Commune est isolée dans une France hostile: le fédéralisme découle peut-être en partie de cet écart entre la réflexion politique parisienne et le conservatisme de la majorité des Français. Ni les radicaux, ni les francs-maçons, qui proposent leurs bons offices, ne peuvent obtenir l'ouverture de négociations entre Versailles et l'Hôtel de Ville. Les Versaillais veulent la liquidation du mouvement et l'obtiennent au cours de la «Semaine sanglante» des 21-28 mai. Leurs troupes entrent dans Paris par l'ouest et ratissent systématiquement la ville. Aux communards qui incendient les Tuileries, l'Hôtel de Ville, la Cour des Comptes, et exécutent une centaine d'otages (dont les jésuites de la rue Haxo, les dominicains d'Arcueil et l'archevêque de Paris, Mgr Darboy), les Versaillais répondent en fusillant environ 20 000 personnes. Les derniers combats ont lieu au cimetière du Père-Lachaise, le 28 mai.

Commence alors une très lourde phase judiciaire. Au total, les fusillades et les déportations frappent le quart de la population ouvrière de Paris; il y a plus d'exécutions que pendant toute la Terreur. La droite réactionnaire, dans son ensemble, trouve le châtiment trop doux; la comtesse de Ségur écrit à ses petits-enfants: «Saint Thiers a pour ces abominables scélérats des tendresses paternelles».

Quelle est la signification de l'échec de la Commune? D'abord, Paris ne domine plus politiquement la France. Paris peut renverser un régime, mais ne peut imposer aux Français le régime de son choix. Pour les mouvements socialistes français, c'est à la fois un coup très dur et une justification tragique. Les différentes sectes socialistes vont longtemps s'accuser mutuellement d'avoir provoqué la catastrophe. En même temps, la dureté de la répression justifie *a posteriori* le mouvement, et fait même apparaître la profonde modération de la Commune (qui n'a pas touché à l'or de la Banque de France!). Enfin, la Commune laisse à la gauche française une légende (les chants des communards leur survivent, qu'il s'agisse du Temps des cerises de Jean-Baptiste Clément, ou de *l'Internationale* écrite par Pottier durant la Semaine Sanglante); un lieu de mémoire, le Mur des Fédérés; et, comme le souligne Christophe Charle, une expérience de socialisme municipal promise quoi qu'on dise à un bel avenir. D'ailleurs, paradoxalement, cet échec des socialistes et des radicaux de Paris renforce les chances de la République: en brisant l'insurrection, la République de fait que dirige Thiers a démontré que le régime républicain pouvait être un régime d'ordre qui n'avait rien à voir avec les «rouges». Aux élections partielles du 2 juillet 1871, 99 élus sur 114 sont des républicains.

D – La République des Ducs

Pourquoi n'y a-t-il pas eu une restauration monarchique en 1871, vu la composition de l'assemblée? En fait, le problème est complexe. On ne veut pas donner, comme en 1814-1815, l'impression que le roi est arrivé dans les fourgons de l'étranger. D'autre part, on n'est pas d'accord sur la personne du souverain à couronner: les légitimistes en tiennent pour le comte de Chambord, petit-fils de Charles X, fils posthume du duc de Berry assassiné en 1820; les orléanistes pour le comte de Paris, petit-fils de Louis-Philippe. D'où l'accord entre l'Assemblée et Thiers pour ne pas précipiter le choix constitutionnel (10 mars 1871, pacte de Bordeaux). Cela dit, dès le 6 juillet 1871, le comte de Chambord fait connaître par un manifeste les conditions qu'il met à la restauration, en particulier le retour du drapeau blanc («on n'échappe pas par des expédients à des vérités éternelles»; «il a protégé mon berceau, il ombragera ma tombe»). Ce manifeste rend la situation des monarchistes inconfortable et plus nécessaire que jamais le pacte de Bordeaux. Thiers en profite pour exiger l'appellation officielle de «président de la république» (loi Rivet, 31 août 1871). Il cumule alors trois fonctions: celle de président de la République, celle de chef de gouvernement, celle de député.

Thiers est un triple symbole de liberté, de paix et de sagesse bourgeoise. Il a été un ténor de l'orléanisme et le défenseur des libertés nécessaires en 1864; il n'a pas voté les crédits militaires le 15 juillet 1870; il a 74 ans en 1871, et vient de réprimer le mouvement révolutionnaire parisien. En même temps, enfant naturel qui a dû se battre pour se faire une place au soleil, il n'est pas l'homme-lige des grands notables traditionnels, et finit par penser que la République a du bon. La monarchie n'a pas présenté les garanties de stabilité qu'on avait cru lui trouver sous le régime de Juillet. Une République présidentielle pourrait donc être viable, à condition d'être soutenue par la conjonction des centres, centre gauche républicain et centre droit orléaniste. C'est à cette conjonction des centres que Thiers travaille en sous-main, en faisant même appel à la franc-maçonnerie.

Par ailleurs, il prend un certain nombre de mesures: il maintient le centralisme en renforçant le pouvoir des préfets (contre les rêves de la Commune et de certains légitimistes). Il crée l'École libre des sciences politiques. Il applique le traité de Francfort et lance pour cela, en 1871 et 1872, deux emprunts qui ont un immense succès. Il augmente les impôts indirects et les tarifs douaniers (timide retour au protectionnisme).

Thiers, comme souvent en politique, est victime de son succès. Le traité d'évacuation du 15 mars 1873 fait qu'il n'est plus pour la majorité conservatrice de l'Assemblée «l'homme indispensable». Il est donc interpellé par le duc de Broglie sur «la nécessité de faire prévaloir une politique résolument conservatrice». L'assemblée se prononce contre Thiers par 360 voix contre 347. Thiers démissionne et le maréchal de Mac-Mahon est élu président de la République.

1. L'ordre moral (24 mai 1873-20 février 1876)

L'expression d'«Ordre moral» est tirée du propre manifeste de Mac-Mahon après son élection: «avec l'aide de Dieu, le dévouement de l'armée qui sera toujours l'armée de la loi et l'appui des honnêtes gens, nous continuerons ensemble l'œuvre de la libération du territoire et du rétablissement de l'ordre moral». Mac-Mahon, président mais légitimiste, désigne comme «vice-président du conseil» le duc de Broglie, orléaniste. Si le maréchal de Mac-Mahon est, sans exagération, dépourvu d'à peu près toutes les qualités qui font un grand politique, le duc de Broglie a plus d'étoffe. C'est un homme d'une grande culture et d'une grande distinction, qui se considère chargé d'un interrègne, d'une «régence conservatrice» (en maintenant à la monarchie ses chances si la monarchie peut être restaurée), et désire seulement, en bon orléaniste attaché au bicamérisme à l'anglaise, instituer une chambre haute. Son problème, c'est qu'«entre le suffrage universel et lui, il y eut dès l'origine une évidente incompatibilité d'humeur» (Daniel Halévy).

→ La vague cléricale

À ce déficit de sympathie, s'ajoute le fait que Mac-Mahon et Broglie sont dépassés sur leur droite par une impressionnante vague cléricale, proche du catholicisme le plus intransigeant. Au printemps 1873, le journaliste Louis Veuillot croit venu le temps de la restauration intégrale («la révolution de Dieu a le champ libre»), et Mgr Pie, évêque de Poitiers, s'écrie devant des pèlerins: «la France veut un chef, la France veut un maître!». Il est vrai que le pape Pie IX, après le *Syllabus* (1864), la proclamation de l'infaillibilité pontificale et l'entrée des troupes italiennes dans Rome (1870), dénonce plus que jamais le «monde moderne» et encourage toutes les réactions. Les dévotions se chargent de significations politiques plus ou moins explicites: le pèlerinage de Paray-le-Monial, qui connaît alors son apogée, rappelle que Louis XVI, en mourant, aurait confié la cause de la France royale au Sacré-Cœur de Jésus; le pèlerinage de La Sa lette est voué à la Vierge Marie qui y serait apparue menaçante, en 1846, et disant: «j'ai le plus grand mal à retenir le bras de mon fils»; celui de Lourdes, en plein essor depuis les apparitions de 1858, exalte, à travers la figure de Bernadette Soubirous, la pureté des cœurs simples et des âmes ignorantes.

Sous cette pression, la droite de l'assemblée consacre la France au Sacré-Cœur de Jésus (29 juin 1873) et décide la construction d'une basilique expiatoire à Montmartre. Plus prosaïquement, l'Ordre moral met des entraves aux enterrements civils qui tournent souvent à la manifestation républicaine, interdit la commémoration du 14 juillet, du 21 septembre (1792), du 4 septembre, et, dans le Midi rouge de 1849 et de 1851, les festivités de Marianne.

Cette politique répressive rappelait fâcheusement l'Empire autoritaire et ne favorisait guère le ralliement des masses, en particulier urbaines, à la majorité conservatrice. On peut noter pour finir que son dolorisme annonce celui de Vichy en 1940: on y insiste sur les malheurs de la patrie, sur la nécessité de l'amendement personnel, sur le mal provoqué par l'esprit de jouissance du précédent régime.

→ L'échec de la restauration

Quoi qu'il en soit, la restauration échoua. Certes, les deux branches (Bourbon, Orléans) se réconcilièrent: au comte de Chambord qui n'avait pas d'enfant, succéderait le comte de Paris. On prépara le carrosse du sacre; on alla à Lourdes prier Dieu avec ferveur: «franchement, écrit un correspondant de *L'Univers*, Dieu n'y tiendra pas, il sauvera la France».

Mais plusieurs obstacles ne purent être franchis:
– l'opposition de Bismarck et le risque d'entrée en guerre (une France monarchique serait moins isolée en Europe, une France catholique serait capable d'intervenir en faveur des catholiques persécutés en Allemagne, en Italie, en Pologne, en Irlande);
– la question du drapeau: les légitimistes cherchent vainement à faire renoncer le comte de Chambord au drapeau blanc (30 octobre 1873: «je ne puis consentir à inaugurer un règne réparateur et fort par un acte de faiblesse»).

Un dernier épisode fut la venue incognito du comte de Chambord à Versailles, où il espérait être acclamé au bras de Mac-Mahon par l'assemblée; Mac-Mahon refusa de se prêter à cette mascarade, et le comte de Chambord quitta définitivement la France.

Le résultat de cet avortement de 1873 fut double. D'abord, pour ménager l'avenir à longue échéance (il fallait garder Mac-Mahon assez longtemps pour laisser des occasions se reproduire), on fit le choix du septennat, le 20 novembre 1873, comme durée du mandat du président de la République, décision qui aujourd'hui encore fait sentir ses effets. Mais, assez vite, la coalition des droites, telle qu'elle se manifestait depuis 1871, éclata: les légitimistes mêlèrent leurs voix aux voix républicaines pour faire tomber le duc de Broglie en mai 1874.

De fait, l'opinion évoluait en faveur des républicains et, dans une moindre mesure, après la mort de Napoléon III en janvier 1873, des bonapartistes: les élections locales et les élections partielles leur étaient favorables. Cela correspondait à une certaine réticence de l'opinion française devant les appels à la croisade de la presse assomptionniste et des légitimistes. C'était aussi le résultat de la nouvelle stratégie de Gambetta, qui visait à convertir la paysannerie en lui faisant valoir que la République modérée était la seule solution raisonnable et que les monarchistes constituaient un danger pour l'ordre et pour la paix. Cela dit, à l'intérieur du camp républicain, les radicaux progressaient davantage que les modérés.

2. Les lois constitutionnelles de 1875

Le phénomène politique essentiel des années 1874-1875 est le rapprochement des centres, à savoir du centre droit orléaniste et du centre gauche libéral, l'un et l'autre effrayés par les rêves réactionnaires des légitimistes et par les succès des républicains radicaux. C'est de ce rapprochement que sont sorties les lois constitutionnelles de la IIIe République, promulguées en 1875, ainsi que la loi sur la liberté de l'enseignement supérieur, votée la même année. La date essentielle est celle du 30 janvier 1875. L'amendement Wallon, voté à une voix de majorité, fait apparaître ce jour-là l'expression de «président de la République» d'une manière moins conjoncturelle, plus définitive, que la loi Rivet de 1871. Ce qui est intéressant, c'est le mouvement de bascule. La mouvance centriste qui, jusque-là, empêchait les républicains de l'emporter, se rallie à leur cause; ce faisant, elle permet à la Constitution d'être républicaine et annonce l'importance du centre dans la vie politique des décennies suivantes. On peut souligner aussi l'effet d'entraînement: alors que le vote du 30 janvier 1875 a été obtenu à l'arraché (353 voix contre 352), la ratification générale du 16 juillet 1875 se fait par 502 voix contre 113.

Le résultat de ces tractations au centre est une Constitution incomplète, plus exactement une série de trois «fois constitutionnelles». Il n'y a en effet ni préambule, ni déclaration des droits; il y a même des trous: rien sur le pouvoir judiciaire, rien sur le Conseil d'État. L'ensemble est d'ailleurs très court (3 lois, 34 articles), trois fois plus court que la constitution antérieure la plus courte, celle de l'an VIII. Certains, comme René Rémond, y ont vu la raison de sa longévité. La présidence de la République est ce qu'il y a de plus ancien dans la Constitution, et ce qu'il y a de moins républicain. Le mandat présidentiel est long (7 ans) et renouvelable; le président de 1875 a l'initiative des lois, concurremment avec les Chambres; il contrôle le législatif par son droit de dissolution; il a quelques prérogatives régaliennes, dont le droit de grâce.

Si la Chambre des députés (on reprend l'appellation de la monarchie censitaire) est élue au suffrage universel, le Sénat est censé avoir sur elle la prééminence. Il comprend 300 sénateurs de deux catégories: 75 nommés à vie par l'assemblée et remplacés ensuite par le Sénat lui-même, 225 élus (une minorité de conservateurs élus peut faire la majorité au Sénat). Il est surtout représentatif de la France rurale: le moindre département a deux sièges, Paris n'en a que cinq; et la composition du corps électoral favorise les communes rurales par rapport aux villes. Il est censé, enfin, amortir les remous de l'opinion: l'âge minimum y est de 40 ans, le renouvellement se fait par tiers tous les trois ans.

On voit bien ici, au suffrage universel près, le caractère orléaniste du régime, à égale distance du pouvoir absolu et de la démocratie intégrale. Les pouvoirs s'équilibrent: on élit la Chambre au suffrage universel direct, mais une Chambre haute, élue différemment, lui fait contrepoids; on reconnaît les droits du Parlement, mais on concède au président de la République le droit de dissolution. Là est l'origine de la question de la révision: la Constitution est contestée par une partie de la droite monarchiste, qui la juge trop républicaine ; elle est surtout contestée par les républicains radicaux, qui la jugent trop orléaniste. Les modérés font choisir le scrutin d'arrondissement (loi du 30 novembre 1875), en place sous la monarchie de Juillet, de préférence au scrutin de liste départemental, qui était censé réussir trop bien aux républicains et aux bonapartistes. Le scrutin d'arrondissement, « ennuyeux comme un commérage de petite ville » (Ferry), sera malgré tout le cadre des élections législatives pendant presque toute la IIIe République (sauf entre 1885 et 1889, et entre 1919 et 1927).

3. L'offensive Républicaine (1876-1877)

On comprend dans ces conditions que la campagne pour les élections du printemps 1876 ait été une des plus importantes de notre histoire électorale. L'habileté manœuvrière des chefs républicains se donne alors libre cours. Ils ont su faire campagne, c'est-à-dire sillonner le pays, en chemin de fer, en voiture, à pied, haranguer les indécis aussi bien que les convaincus et, à ce jeu-là, Gambetta fit merveille. Ils ont également su se montrer conciliants avec l'orléanisme, en acceptant tous les alliés possibles, dont Thiers, et en ne remettant plus en cause le Sénat, ce qui leur valut la nouvelle appellation d'« opportunistes ». Ils ont su se faire passer pour martyrs en insistant sur les entraves aux libertés publiques : banquets et réunions publiques interdits çà et là par le gouvernement et les préfets de l'Ordre moral. Enfin et surtout, ils ont su exciter l'anticléricalisme populaire en agitant l'épouvantail ultramontain.

→ Les thèmes de propagande

Pour eux, en effet, l'Église menace l'État. Elle est un groupe de pression inacceptable dans une société où s'affirment avant tout des individus libres ayant besoin d'un État neutre. Elle menace la nation, d'abord comme force internationale ayant des intérêts importants en dehors de France auxquels elle peut toujours sacrifier ceux des Français ; c'est ce qu'ont fait apparaître la question romaine et les rumeurs de guerre contre l'Italie en 1873. Ensuite, comme force enseignante, elle dénationalise la jeunesse et la tient à l'écart de l'esprit de citoyenneté. Elle menace enfin les individus et les familles, divise les couples par la pratique de la confession, s'empare de l'esprit des enfants, singulièrement des filles, et les détache de leurs parents.

À cette thématique fort habile vient s'ajouter l'entrée en politique des couches sociales nouvelles, signalée par Gambetta dans ses discours de Grenoble (1872) et de Saint-Julien en-Genevois (1874) : la poussée républicaine coïncide avec l'affaiblissement de solidarités traditionnelles dans les campagnes, et un important renouvellement social du personnel politique. Le paysan continue d'écouter le curé, le noble, le grand propriétaire, mais avec de plus en plus de quant-à-soi. Il veut bien les désigner pour le conseil municipal, le conseil d'arrondissement ou le conseil général, mais se défie d'eux pour la Chambre des députés où il préfère se faire représenter par des gens qui ne sont pas avec lui dans un rapport hiérarchique, et dont la valeur, attestée par des diplômes, n'a rien à voir avec les hiérarchies d'Ancien Régime. C'est ainsi que «ce centre gauche paysannesque», pour parler comme Ferry, est amené à se rapprocher du camp républicain qui lui propose un personnel politique de petits et moyens bourgeois instruits (avocats, médecins, professeurs), où l'appartenance maçonnique et les religions minoritaires (protestants libéraux, juifs déjudaïsés) sont discrètement surreprésentées.

Les résultats des élections de 1876 sont très favorables aux républicains. Aux législatives, 360 républicains sont élus contre 160 conservateurs, ceux-ci étant d'ailleurs plus bonapartistes que légitimistes. Aux municipales, 7 000 communes passent de droite à gauche; c'est la «révolution des mairies», qui annonce des effets à terme sur la composition du Sénat. Ainsi se noue la crise politique finale de la République des Ducs: le président de la République est monarchiste, le Sénat est partagé et condamné à évoluer vers la gauche, les députés sont majoritairement républicains, le président du Conseil (Jules Simon) «profondément républicain et résolument conservateur».

→ Le progrès des républicains et la démission de Mac-Mahon

Le 4 mai 1877, Gambetta s'écrie à l'Assemblée: «le cléricalisme, voilà l'ennemi!». Le 11 mai, le pape Pie IX proteste contre les propos attribués à Jules Simon et selon lesquels le pape noircirait les conditions de sa vie au Vatican. Le 16 mai 1877, Mac-Mahon demande sa démission à Jules Simon et rappelle le duc de Broglie. La nouvelle fait l'effet d'un coup d'État juridique, dans la lignée des ordonnances de 1830 ou de la proclamation du 2 décembre, lançant un duel à mort entre le président de la République et la volonté nationale. Gambetta résume la situation à l'adresse de Mac-Mahon dans son célèbre: «il faudra se soumettre ou se démettre». Mac-Mahon décide alors la dissolution de l'assemblée; ce sera la dernière dissolution de toute la IIIe – République.

La campagne électorale de 1877 se déroule dans une atmosphère encore plus passionnée que celle de l'année précédente. La droite joue sa dernière carte, en exerçant de très fortes pressions électorales (217 préfets et sous-préfets sont déplacés), et en défendant l'harmonie des pouvoirs, la religion, la propriété, c'est-à-dire en reprenant les grands thèmes du parti de l'Ordre de 1848, alors que ces thèmes commencent à s'user sensiblement sous l'effet de l'habileté opportuniste. Les républicains manifestent une grande unité; c'est à cette époque-là que l'on commence à parler de «discipline républicaine» à propos des désistements de

73

second tour entre opportunistes et radicaux, que favorisent d'ailleurs les loges maçonniques. Ils ont le sentiment de renouer avec le Serment du Jeu de paume de 1789, offrent une image d'honorabilité qui interdit de jouer sur le registre de la peur sociale, profitent habilement de la conjoncture extérieure («la dissolution, c'est la guerre») et intérieure (les funérailles de Thiers, en pleine campagne électorale, en septembre 1877).

Les résultats sont sans appel. Les républicains reculent, mais trop peu pour que la victoire leur échappe : ils sont 326 – au lieu de 363 au 16 mai –, contre 207 conservateurs. La République s'enracine avec 54 % des votants, le taux de participation étant d'ailleurs très élevé (81 %). Mac-Mahon se soumet et reconnaît le caractère parlementaire du régime.

La crise laisse des enseignements durables. La République victorieuse de 1877, issue d'une coalition assez large de défense du parlementarisme, a un contenu social extrêmement restreint, l'extrême-gauche étant mise à l'écart. La «gauche républicaine» est désormais seule légitime, la droite monarchiste est exclue du pouvoir (il n'y a pas d'alternance possible parce qu'elle remettrait en cause le régime même), les catholiques sont politiquement marginalisés pour quinze ans. La lecture des institutions est définitivement modifiée : la Chambre l'emporte sur le Sénat et sur le président de la République. Le parlementarisme triomphe en France pour quatre-vingts ans (à la parenthèse vichyste près).

En janvier 1879, à l'occasion d'un renouvellement partiel, les républicains obtiennent la majorité au Sénat (174 à 126). Mac-Mahon est terrassé. Même s'il voulait dissoudre, il ne le pourrait plus en vertu de l'article 5 de la loi constitutionnelle du 25 février 1875. Refusant l'épuration des hauts cadres militaires, après avoir accepté celle de la haute administration civile, il démissionne le 30 janvier 1879. Jules Grévy lui succède et publie un message très révélateur : «soumis avec sincérité à la grande loi du régime parlementaire, je n'entrerai jamais en lutte contre la volonté nationale exprimée par ses organes constitutionnels». Le 4 février 1879, le ministère Waddington est constitué avec une moitié de ministres protestants et Jules Ferry à l'Instruction publique. La laïcisation de la République peut commencer.

Le temps des chemins de fer : réalités et illusions

L'économie et la société françaises connaissent des changements importants entre la crise du milieu du XIXe siècle et la grande dépression qui commence à faire sentir ses effets dans les années 1870 et qui durera jusqu'au tournant du siècle. Le Second Empire correspond en effet globalement à une époque de croissance et d'optimisme, malgré quelques crises conjoncturelles liées à la surproduction agricole (1857), ou au marasme des échanges avec le Sud cotonnier des États-Unis (1866-1867).

A – L'économie

1. Les facteurs de croissance

→ **Le rôle de l'État**

Napoléon III est le premier homme d'État français qui ait mis au premier plan les questions économiques. Entrent dans cette décision les nécessités d'une sortie de crise, la recherche de compensations à un régime autoritaire, la doctrine saint-simonienne chère à l'empereur. Dès son discours de Bordeaux (1852), l'empereur annonce un programme ambitieux d'amélioration des infrastructures, des moyens de transport, du crédit. Certains membres de l'entourage impérial développent la théorie des dépenses productives (Persigny, Haussmann). Les investissements publics augmentent légèrement, et la part des « dépenses non liées » au développement économique diminue. C'est ainsi qu'il faut comprendre la politique ferroviaire, mais aussi les grands travaux d'Haussmann, qui allient une visée économique (relance des métiers du bâtiment) à une triple visée symbolique, sanitaire et, quoi qu'on ait pu dire, militaire.

Par ailleurs, le personnel politique impérial fait une large place aux hommes d'affaires qui remplacent en quelque sorte les professeurs de la monarchie de Juillet. On peut citer les ministres banquiers, Achille Fould et Béhic (allié des

Rothschild), ou Eugène Schneider, président du Corps législatif à la fin de l'Empire. Enfin, le régime peut mettre en relation fonctionnaires, économistes et hommes d'affaires (dans le Conseil supérieur de l'Agriculture, du Commerce et des Travaux publics), favoriser la concentration, dispenser les entreprises industrielles les plus importantes de certaines dispositions réglementaires considérées comme des entraves. On le voit, il ne s'agit pas de nationaliser les entreprises. La Seconde République s'était d'ailleurs posé la question à propos des compagnies ferroviaires, et y avait répondu par la négative, la peur du socialisme l'ayant emporté.

→ Le contexte de phase A de Kondratieff
De 1851 à 1873, le monde connaît une période faste de la production et des échanges. Les prix mondiaux ont tendance à monter en raison de l'afflux de métaux précieux de Californie ou d'Australie, de l'essor de la monnaie fiduciaire (monnaie de papier) et du crédit. Les échanges bénéficient du décloisonnement du commerce international (tendance générale au libre-échange). Cela dit, on nuancera la théorie de Kondratieff en observant que les prix français ont tendance, dans cette période, à stagner, voire à reculer (c'est la conséquence logique du progrès technique). La baisse affectant encore davantage les prix de revient, les profits s'accroissent d'autant.

→ Les belles années de l'agriculture
Le Second Empire correspond à un certain apogée des campagnes françaises. Le déblocage des communications entraîne des prix rémunérateurs. L'essor urbain absorbe une partie de la surpopulation rurale, ce qui tire les salaires agricoles vers le haut. La peur de la disette disparaît définitivement. Le revenu paysan augmente alors plus vite que le revenu moyen des Français (plus 2 % en moyenne). Cette hausse du revenu permet certes toujours des achats de terres, mais aussi l'amélioration des méthodes de culture.

2. La croissance
→ L'œuvre ferroviaire
Elle est considérable. Les investissements deviennent énormes : 435 millions de francs par an dans les années 1855-1864 ; au total, en 1870,9 milliards ont été investis, un tiers venant de l'État, deux tiers venant des particuliers. Les grands réseaux prennent forme et l'on assiste à un combat de titans entre Rothschild, de la Compagnie du Nord, les frères Péreire, de la Compagnie de l'Est et de la Compagnie du Midi, et le groupe Talabot-Schneider, du Paris-Lyon-Méditerranée. Rothschild et les Péreire rivalisent également à l'étranger, notamment en Espagne

et en Suisse. Toutes les grandes lignes sont en place dès 1860 (on atteint alors les frontières du pays), et la décennie qui suit voit un intense effort de ramification du réseau : il y a en France 17 400 km de voies en 1870.
Cette révolution ferroviaire a désormais des effets économiques importants. En amont, du côté de la modernisation du crédit, de la création de sociétés par actions, de la diversification des patrimoines bourgeois, de l'essor de la métallurgie (a fortiori de la métallurgie la plus moderne), des industries mécaniques et des charbonnages. En aval, par l'accélération des communications, surtout par les conséquences de l'abaissement du coût du fret : l'unification du marché national, la spécialisation agricole régionale, la concentration des localisations industrielles.

→ La révolution industrielle
Les transformations de l'industrie ne sont pas négligeables. Vers 1860 se sent clairement la montée en puissance de la technique française. Le retard vis-à-vis de la Grande-Bretagne a été rattrapé. Les Français améliorent même certaines innovations britanniques, recherchant (déjà) l'économie d'énergie : mise au point de locomotives consommant moins que les modèles britanniques, procédé de la fonte à l'air chaud permettant d'économiser le charbon, récupération des gaz du haut fourneau au gueulard.
C'est le secteur métallurgique qui devient alors le *leading sector*. La fonte au coke remplace la fonte au charbon de bois. En 1848, 16 % de la fonte nationale est préparée au coke, en 1864, 90 % : or le rendement d'un haut fourneau au coke est le décuple de celui d'un haut fourneau au charbon de bois. La production d'acier est grandement facilitée par la naturalisation du convertisseur Bessemer (1856) qui simplifie infiniment la production, puis par l'invention du four Martin (1864). Le nombre et la puissance des machines à vapeur augmentent sensiblement : la puissance installée est multipliée par trois dans la décennie 1850. Si le Massif central reste important, le Nord gagne du terrain (Denain-Anzin) et devient une région industrielle complète, tandis que la Normandie, exclusivement textile, amorce son déclin.
L'usine, qui était encore une rareté au temps de la monarchie censitaire, s'affirme davantage. Le débat à son sujet a été intense pendant tout le XIXe siècle. Plaide en sa faveur le souci de la rentabilité, mais plaident contre elle l'image repoussante de la condition usinière, l'idée (pas du tout fausse pour Patrick Verley) selon laquelle la grande entreprise présente des inconvénients de gestion par rapport à l'entreprise moyenne (elle risque de faire disparaître le contrôle familial sur la firme ; elle fait augmenter la proportion d'employés non productifs), le sentiment que l'entreprise familiale et l'atelier correspondent mieux au caractère national

que la grande industrie et l'usine. Ainsi peut-on comprendre que l'atelier reste dominant vers 1870 dans la plupart des secteurs.

➜ **La révolution bancaire**

Dès la Seconde République, on a vu apparaître des comptoirs d'escompte, dont le capital initial provenait de l'État, des municipalités et des particuliers, et qui visaient à mettre un terme à la paralysie bancaire générée par la crise. Le système a fonctionné avec efficacité pendant la crise, et même au-delà, sous une forme purement privée. Avec le Second Empire, on peut vraiment parler de « révolution bancaire ». Apparaissent des sociétés bancaires par actions, qui peuvent réunir des ressources propres beaucoup plus considérables que les comptoirs d'escompte et les maisons de la haute banque. Le Crédit mobilier démarre en 1852 avec un capital de 60 millions de francs, la Société générale en 1864 avec un capital de 120 millions. Les pionniers sont ici les frères Péreire, fondateurs du Crédit mobilier. Soutenus par Napoléon III, ils veulent créer à la fois une société par actions, qui démocratiserait le capital, un établissement d'investissement industriel aux horizons très larges, et même un établissement d'émission. Ils sont rapidement détestés de la haute banque parisienne, mais celle-ci ne peut les vaincre qu'en imitant leurs méthodes et en lançant de grandes sociétés bancaires par actions : le Crédit Industriel et Commercial en 1859, le Crédit lyonnais en 1863, la Société générale en 1864. Lorsque James de Rothschild meurt en 1868, le dernier grand banquier privé disparaît avec lui.

Les transformations de la pratique bancaire induites par la révolution des Péreire se situent à trois niveaux : l'actionnariat, le dépôt, l'investissement industriel. À la différence de la banque familiale qui travaille avec ses propres capitaux et n'a de compte à rendre à personne, le Crédit mobilier est obligé de faire appel à des actionnaires et, pour maintenir la confiance, de leur verser généreusement du dividende. Il se crée ainsi des obligés dans l'aristocratie et la bourgeoisie, voire le personnel politique lui-même. Mais il s'oblige aussi à « pousser les opérations », c'est-à-dire à pratiquer une fuite en avant qui fera la perte des Péreire en 1867. Par ailleurs, les banques nouvelles sollicitent les dépôts d'une grande quantité de clients, et mettent donc en place un réseau de succursales en province. Enfin, elles s'intéressent grandement à l'investissement industriel, mais cet engouement ne durera pas.

Quoi qu'il en soit, le capitalisme industriel et bancaire a progressé, au détriment du capitalisme traditionnel, négociant. La grande banque et la société anonyme nourrissent les fantasmes de beaucoup de contemporains, sensibles au nouveau pouvoir et aux rivalités des conseils d'administration.

→ Les débuts de la révolution commerciale

Le commerce extérieur ne connaît pas de mutation au temps du Second Empire : la marine marchande française reste très majoritairement composée de voiliers en 1870 ; les principaux produits d'exportation sont toujours les soieries et les vins. En revanche, il connaît croissance et progrès. Vers 1872, le pays réalise à l'exportation un chiffre d'affaires équivalent à 18 % de son revenu national. Le tonnage de la marine marchande augmente de près de 50 % entre 1847 et 1870, le commerce national dépendant un peu moins des flottes étrangères, et les infrastructures portuaires s'améliorent sensiblement : travaux de la Joliette à Marseille, développement de Saint-Nazaire comme avant-port de Nantes.

Le commerce de détail connaît, à Paris dès la décennie 1850 et dans quelques grandes villes de province dans la décennie 1860, la révolution du grand magasin. Citons le Bon Marché, créé en 1852 par Boucicaut et qui fait 21 millions de chiffre d'affaires en 1869, les Grands magasins du Louvre, créés en 1855 par Chauchard, le Printemps, ouvert en 1865 et la Samaritaine ouverte en 1869.

3. Les signes avant-coureurs du dérapage

La fin des années 1860 et la décennie 1870 marquent le début d'une « panne de croissance », pour reprendre une expression d'Alain Plessis qui a le mérite de laisser la porte ouverte aux explications conjoncturelles et structurelles. Dès la fin du Second Empire, la croissance décélère, et la décennie 1870 est franchement médiocre pour l'agriculture, le commerce extérieur, l'investissement. La précocité du phénomène (qui précède le passage en phase B situé par Kondratieff en 1873) et son intensité sont des spécificités françaises. Quelles sont les origines de ce fléchissement ?

→ Le marché intérieur et extérieur

La structure de la consommation intérieure, d'abord. Le marché urbain, soutenu par l'exode rural, n'a pas pris le relais du traditionnel marché rural : l'amélioration du pouvoir d'achat se traduit avant tout par une augmentation des dépenses d'alimentation.

L'impact de la concurrence internationale, ensuite. Le traité de libre-échange de 1860 n'a peut-être pas eu les effets qu'on attendait de lui : les exportations françaises sont en recul marqué dès la décennie 1870. Le déficit des échanges agricoles fait son apparition : importations massives de céréales des pays neufs ; importations de vin au temps du phylloxéra. L'industrie lourde et les industries mécaniques se replient sur le marché intérieur. Les industries textiles, traditionnellement exportatrices, connaissent elles-mêmes des difficultés : crise de la pébrine affectant la production française de soie grège. Dans le même temps, les importations industrielles augmentent fortement et rapidement. C'est que le système industriel national était sans doute plus fragile qu'on ne le pensait. Les produits de luxe français sont désormais imités à moindre coût par des procédés mécaniques, en Angleterre ou en Saxe. Les handicaps par rapport à l'Allemagne commencent à apparaître vers 1875.

➜ L'impact d'erreurs politiques

C'est ce que Maurice Lévy-Leboyer appelle «le détournement de l'épargne». L'haussmannisation a sans doute drainé trop de capitaux. L'exportation de capitaux a sans doute été trop importante vers 1860 et cet argent a manqué aux investissements intérieurs dans la décennie 1870. La Banque de France a eu une politique de taux trop élevés. La guerre et la défaite de 1870-1871 eurent aussi un coût considérable : 12 milliards de francs or (dont 5 milliards pour la seule indemnité de guerre), et la perte de deux des provinces les plus industrialisées, l'Alsace et la Moselle, régions d'entrepreneurs extrêmement dynamiques.

➜ L'impact de la dépression agricole

D'une façon générale, les campagnes françaises se sont endormies dans une prospérité factice au temps du Second Empire. Les paysans ont pris pour des données durables des bons prix purement conjoncturels et que n'accompagnait aucune modernisation en profondeur. Quoi qu'il en soit, les récoltes exceptionnellement abondantes de 1872-1874 provoquent une baisse du prix des céréales, tandis que le phylloxéra s'attaque au vignoble français à partir de la fin des années 1860 (mais surtout, il est vrai, après 1875).

➜ La crise démographique

Elle commence seulement à se faire sentir vers 1875. Si le Second Empire marque un palier dans la chute du taux de natalité (autour de 26 ‰), il n'empêche que le contrôle des naissances est favorisé à terme par l'exode rural et les progrès du phénomène d'opinion dans la France d'après 1848. Il n'empêche aussi que la population française vieillit précocement : dès 1850, la part des plus de 60 ans dépasse en France les 10 %, taux qu'on ne trouve en Allemagne que vers 1910.

B – Une société de contradictions

On notera d'entrée de jeu le mauvais état sanitaire de la population française. Le niveau de vie moyen reste très médiocre (en 1860, 33 % des conscrits sont réformés pour maladies, infirmités ou défaut de taille), même si progresse assez sensiblement la consommation de pain blanc, de sucre et de viande rouge. L'hygiène est insuffisante partout, même dans les élites. Le problème essentiel,

celui qu'Haussmann chercha à régler à Paris, réside dans l'adduction de l'eau et dans l'évacuation des eaux usées
De 1848 aux années 1870, la mortalité reste relativement élevée : crise économique de 1846-1850, choléra de 1855 qui fait 150 000 morts, misères de la guerre et du siège de 1870. Le taux de mortalité infantile tend même à remonter au temps du Second Empire : à Lille, ville-ouvrière, un nouveau-né sur cinq meurt avant d'avoir un an ; à 24 ans, la moitié de la classe d'âge lilloise a déjà disparu.

➜ Apogée des campagnes et exode rural

Les campagnes continuent à regrouper la majorité des Français et la plus grande partie de la population active. C'est là l'originalité de la France par rapport à l'Angleterre de Victoria. Cela dit, les campagnes semblent plus prospères que dans la période précédente parce qu'elles tendent à se délester de leurs éléments les plus pauvres et les plus marginaux.
L'exode rural est dû à plusieurs facteurs. Certains sont communément admis, d'autres sont contestés. Il est évident qu'a joué le dépérissement lent, mais inéluctable, de certaines pratiques communautaires qui jusqu'alors permettaient aux plus pauvres de survivre, comme a joué la décadence de la manufacture dispersée devant la concurrence de la grande industrie. La crise de 1846-1849 est ici essentielle. On est moins sûr du rôle des migrations saisonnières : pour les uns elles auraient préparé le chemin de la migration définitive, pour les autres elles auraient au contraire entretenu les paysans dans l'illusion qu'ils pouvaient continuer à vivre de leur terre. On est moins sûr également du rôle des chemins de fer, comme du rôle de l'amélioration de la productivité agricole. Au bout du compte, 70 000 personnes par an, attirées par les grands chantiers du Second Empire, quittent la campagne pour la ville .

➜ La condition ouvrière

Les ouvriers offrent un groupe social aux limites floues (du côté de l'artisanat comme du côté de la paysannerie, en raison aussi des changements fréquents d'activité qui émaillent toute vie professionnelle) et aux activités contrastées. D'un côté, il y a l'ouvrier traditionnel, qu'il soit typographe, horloger, mécanicien, ou ébéniste, que l'on appelle alors à Paris le « sublime », mobile, fort en gueule, conscient de sa qualification, très politisé et adepte du repos hebdomadaire de la « saint-lundi » ; de l'autre, le journalier, homme de peine sans qualification qui ne vend que sa force musculaire ; sans oublier l'ouvrier du coton, travaillant en usine, ni les dentellières ou les brodeuses rurales, travaillant à domicile et que menace la concurrence des productions mécanisées.

Les niveaux de vie sont globalement bas, mais en progression. L'alimentation s'améliore quelque peu. Cela dit, l'impression de dégradation relative est forte, en raison du luxe accru des classes dominantes et des difficultés de logement générées par une politique de grands travaux qui ne s'intéresse qu'au logement bourgeois et qui provoque une hausse des loyers.

Les théoriciens du christianisme social considèrent que les difficultés des ouvriers tiennent à leurs mauvaises habitudes. De fait, «bons et mauvais sujets» sont obligés d'emprunter pour vivre, et la consommation d'alcool leur est nécessaire pour atténuer les effets d'une forte fatigue physique. La grande ville (Paris particulièrement) est dure aux ouvriers malgré la multiplication des «sociétés de secours mutuels» (caisses d'entraide) et le recours au mont-de-piété. On trouve dans la capitale beaucoup d'indigents mal assistés, de solitaires, de délinquants, d'ouvrières réduites à la prostitution.

À la fin du Second Empire, l'expression des tensions sociales est favorisée par le droit de grève (1864) et la déliquescence du livret ouvrier. Entre 1868 et 1870, les conflits se multiplient, l'organisation ouvrière se renforce, les ouvriers se battent désormais résolument pour un meilleur partage des profits.

→ La bourgeoisie triomphante

Les élites françaises sont toujours fort diverses. On distingue l'aristocratie de la grande bourgeoisie, la grande bourgeoisie des hauts fonctionnaires et des hommes d'affaires de la moyenne bourgeoisie provinciale, et celle-ci de la petite bourgeoisie boutiquière ou intellectuelle. La noblesse rurale résiste, gère ses biens avec habileté et fournit bon nombre de maires ruraux et de conseillers généraux, détenteurs au village des trois pouvoirs, politique, social et économique. En Normandie, elle joue un rôle important dans la modernisation des campagnes (développement de l'élevage) et peut se croire l'équivalent de la *gentry* britannique. Ce n'est que dans la décennie 1870 que son influence est définitivement remise en question, au motif de son appartenance au parti clérical.

Les hauts fonctionnaires sont recrutés dans un milieu très parisien et très étroit, et voient leur condition encore améliorée par la faveur impériale.

Les patrons constituent une autre fraction des élites, nuançable à l'infini. Une hiérarchie communément admise alors va «de l'artisan et de l'ouvrier qualifié chef d'atelier, au petit entrepreneur sous-traitant, puis au fabricant donneur d'ordre et à moitié négociant, jusqu'au véritable industriel fondateur d'une firme durable» (Christophe Charle).

C'est aussi en ces décennies centrales du XIX° siècle que les «couches nouvelles», chères à Gambetta, apparaissent clairement. Elles résultent de l'urbanisation et de la tertiarisation relative des emplois, de l'essor même modeste des qualifications.

Les employés se font moins rares. Particulièrement nombreux à Paris, au siège social des grandes sociétés nouvelles et dans les grands magasins, ils se rencontrent aussi en province, avec le développement des compagnies de chemin de fer et l'apparition des succursales bancaires. On peut y ajouter les petits et moyens fonctionnaires qui forment l'essentiel des 265 000 serviteurs de l'État recensés en 1870. On n'oubliera pas enfin la frange inférieure des professions libérales (pharmaciens et médecins de campagne, vétérinaires, notaires), dont les membres peuvent avoir un réel prestige, concurrent de celui des notables propriétaires, dans les campagnes point trop légitimistes. L'avenir socio-politique de ces classes moyennes est moins l'intégration (assez improbable) dans les élites installées, que la construction d'une démocratie modérée. On sait le rôle qu'elles joueront dans les choix décisifs de la décennie 1870.

Les mentalités, entre tradition et positivisme

A– Apogée de la reconquête catholique

L'Empire autoritaire a soutenu l'Église catholique, et l'Église le lui a bien rendu : les libertés des catholiques furent maintenues (presse, œuvres), tandis que disparaissaient toutes les autres ; et le pape Pie IX donna son aval au coup d'État, avant d'accepter d'être le parrain du prince impérial en 1856. Tout cela n'allait pas sans quelque cynisme : les ecclésiastiques n'étaient pas bonapartistes, l'empereur et son entourage (impératrice exceptée) n'étaient pas dévots. Il n'empêche que la politique de Napoléon III fut pendant quelques années remarquablement cléricale. On le vit bien en matière constitutionnelle ou législative : cardinaux sénateurs de plein droit, développement des congrégations féminines facilité par un décret de 1852 ; en matière budgétaire : augmentation du traitement des ecclésiastiques, dons d'objets du culte aux églises ; en matière scolaire : application très stricte de la loi Falloux, brimades à l'égard des enseignants libres-penseurs ou non-catholiques ; ou, enfin, en matière de censure avec les deux procès retentissants de 1857, celui des *Fleurs du Mal*, et celui de *Madame Bovary*.

Les relations entre Paris et le Saint-Siège se sont sensiblement altérées, on l'a vu, à partir de la fin des années 1850, à propos de la question romaine et du gallicanisme. Napoléon III soutient la maison de Savoie dans sa lutte pour l'unité italienne, comme il soutient les évêques gallicans dans leur résistance aux pressions de plus en plus fortes du Saint-Siège. Les années 1860 voient même quelques signes d'anticléricalisme officiel : soutien impérial à la politique de Persigny contre la Société de Saint-Vincent-de-Paul, et à celle de Duruy contre les excès de l'enseignement congréganiste.

1. L'offensive ultramontaine

Le catholicisme français est de plus en plus sous le contrôle de Rome : l'ultramontanisme gagne du terrain. Le pape protège *l'Univers* de Louis Veuillot, condamne le gallicanisme et les gallicans, impose, en 1854, à toute la catholicité, sans fondement scripturaire, le dogme de l'Immaculée Conception de la Vierge Marie, (d'où une extraordinaire généralisation du culte marial), puis, entre 1853 et 1864, la liturgie romaine comme liturgie unique, et pour finir, en 1870, le dogme de l'infaillibilité pontificale (concile de Vatican I).

2. L'offensive antilibérale

L'offensive ultramontaine se double d'une grande offensive antilibérale. Louis Veuillot en fournit d'amples témoignages : il loue Charlemagne d'avoir édicté la peine de mort contre les Saxons qui refusaient le baptême, et Louis XIV d'avoir révoqué l'édit de Nantes ; il anathématise les libertés modernes, demandant au gouvernement d'en finir avec l'Université et la franc-maçonnerie.

Aux catholiques intransigeants, en effet, les malheurs des temps semblent tous sortis de la Révolution française, elle-même issue, selon les uns du protestantisme, selon les autres du paganisme. Cette rancœur inspire les deux textes fondamentaux du pontificat, ceux de 1864, l'encyclique *Quanta Cura* et le *Syllabus*, catalogue de 80 propositions condamnées par le Saint-Siège, et où s'affirme de manière éclatante le refus romain de « transiger avec le progrès, le libéralisme et la civilisation moderne ».

B – Science et scientisme

1. Le développement de l'anticléricalisme

Les années 1850, années de cléricalisme, furent propices à un réveil de l'anticléricalisme libéral. Tandis que s'affirmait chaque jour davantage le caractère intransigeant du pape Pie IX, des scandales défrayèrent la chronique, dont l'affaire Mortara, en 1858, qui eut des répercussions très négatives pour l'Église. À l'intérieur des États pontificaux, un enfant juif, secrètement baptisé par une servante, fut arraché à sa famille pour être élevé dans le catholicisme. Les journaux libéraux français, *Le Siècle*, *La Presse*, *Le Journal des débats*, se déchaînèrent. Beaucoup de fidèles furent de leur avis, estimant que le pape avait outrepassé ses droits. Cette affaire prouvait qu'une limite était atteinte dans la reconquête catholique de l'opinion dès la fin de la décennie 1850, et que la « morale naturelle » (les droits de la famille) et la morale religieuse étaient déjà, pour beaucoup, clairement distinctes.

→ L'anticléricalisme devient positiviste

Les bourgeois libéraux adhèrent de plus en plus souvent aux valeurs défendues par Auguste Comte et son disciple Émile Littré. Pour eux la science, en progressant, répond aux interrogations de l'homme et rend peu à peu caduques les vieilles réponses des religions. Aux âges théologique et métaphysique succède l'âge positif. La plupart des spécialistes des sciences expérimentales (Pasteur étant l'exception la plus notable) se déclarent d'ailleurs hors de l'Église.

Au même moment, la religion multiplie les dévotions et les pratiques les plus naïves, comme si elle voulait opposer les miracles de la foi aux pauvretés de l'intelligence; elle condamne formellement les valeurs mêmes du nouvel esprit scientifique: libre examen, refus de l'argument d'autorité, raison souveraine. Les apparitions qui se multiplient sont, pour les anticléricaux, le signe que l'Église, aux abois, ne peut plus se sauver qu'en fabriquant du surnaturel.

L'athéisme est ainsi beaucoup plus sensible dans le mouvement révolutionnaire de 1871 que dans celui de 1848.

→ **Les réseaux anticléricaux**

L'anticléricalisme trouve désormais ses réseaux: la franc-maçonnerie, la Ligue de l'enseignement, créée par Jean Macé en 1866 pour contrer les aspects les plus cléricaux de la loi Falloux, les minorités confessionnelles qu'affole le tournant pris par l'Église sous le pontificat de Pie IX.

L'hostilité à l'Église est très forte dans la gauche communarde, comme on l'a vu, mais elle est également forte chez les républicains opportunistes de la décennie 1870. On peut même dire que l'anticléricalisme est le meilleur ciment du camp républicain, unissant une fraction du peuple à une fraction de la bourgeoisie. Surtout, il touche désormais le village.

Tout ici commence par le refus masculin de la confession, «une invention des prêtres», où l'on voit du jésuitisme et de l'indiscrétion. C'est ensuite, l'inobservance de l'impératif dominical: on en veut au prêtre de se livrer à des attaques *ad hominem* dans ses sermons, ou, après 1860, d'y faire de la mauvaise politique. Cet anticléricalisme s'appuie sur l'exemple de détachés estimés de leurs voisins, mais flétris par l'Église (particulièrement dans le Sud-Est, passé ainsi, en une génération, de la piété baroque au radicalisme politique).

2. Une demande croissante d'éducation

Cette modernisation des comportements culturels va de pair avec une demande croissante d'éducation dans presque toutes les catégories de la population: les paysans s'efforcent de faire alphabétiser leurs enfants, filles comme garçons; les ouvriers cherchent à suivre des cours professionnels; les cours d'adultes prennent une importance croissante.

Les moyens d'acculturation populaire se renforcent, tandis que les colporteurs reculent: des bibliothèques de gare sont lancées par Hachette; les bibliothèques municipales sont de plus en plus fréquentées; la presse «à un sou», apparue dans la décennie 1860, rencontre vite un grand succès dans une opinion aussi consciente de son pouvoir que curieuse de «nouveauté». Dans le même ordre d'idées, des filières originales commencent à apparaître, qui permettent un minimum de promotion sociale, de la frange supérieure du peuple en direction des classes moyennes ou à l'intérieur des classes moyennes: enseignement primaire supérieur, enseignement secondaire spécial créé par Duruy en 1865.

Cela dit, l'enseignement des élites reste relativement traditionnel. Les lycées et collèges continuent d'être globalement centrés sur les humanités classiques. L'enseignement supérieur est lui aussi très routinier: les facultés professionnelles sont sclérosées (particulièrement les écoles de droit), les facultés des lettres et des sciences n'ont pas d'étudiants. Le retard de la France par rapport aux universités prussiennes devient un topos des débuts de la IIIᵉ République.

C – La fête impériale

Les transformations de la morphologie et de la physionomie urbaines sont une des caractéristiques essentielles de la période, et sans doute un des chapitres les moins contestables de l'oeuvre impériale. Les décennies centrales du XIXᵉ siècle voient le passage de la *walking city* à la ville circulatoire contemporaine. Le phénomène n'est nulle part aussi visible qu'à Paris.

1. Les transformations urbaines

La capitale, sous la houlette du baron Haussmann, s'agrandit sensiblement par l'annexion, en 1860, de la partie des communes limitrophes qui se trouvait dans l'enceinte construite par Thiers en 1840. C'est alors qu'apparaît sur les plans l'escargot des vingt arrondissements actuels. Haussmann veut aérer la ville, pour des raisons socio-politiques et hygiéniques, en perçant le vieux centre, en le désindustrialisant au bénéfice des arrondissements périphériques, voire de la banlieue. Il fait donc réaliser la célèbre croisée de Paris (Rivoli-Sébastopol, avec intersection au Châtelet); il aménage grandiosement les halles avec la construction des pavillons de Baltard; il perce des avenues qui débouchent sur les six gares de la ville; il dessine les liaisons entre les vieux quartiers et les nouveaux arrondissements; il organise l'adduction d'eau par le détournement des eaux de la Dhuis et de la Vanne; il fait achever les égouts par Belgrand, et dessiner des squares et des jardins par Alphand.

Cela dit, ce volontarisme planificateur n'empêche pas une certaine anarchie des aménagements péri-urbains. C'est alors que la population ouvrière se concentre, *volens nolens,* dans les quartiers est de la capitale aggrandie (Belleville), et qu'apparaissent de véritables bidonvilles dans les zones naguère rurales ou *non aedificandi.*

Les villes de province, même très inégalement haussmannisées, offrent peu à peu une physionomie nouvelle, liée à la révolution des transports. La gare apparaît et, avec elle, le faubourg de la gare où s'entassent migrants et activités interlopes. À l'intérieur de cette ville élargie se multiplient les moyens de transport (fiacres, omnibus, tramways hippomobiles), mais leur prix, élevé, en réserve encore l'usage aux classes moyennes.

→ **La vie parisienne**
Paris c'est aussi la ville où l'on s'amuse et où affluent de plus en plus d'étrangers, comme à l'occasion des Expositions universelles de 1855 et de 1867. C'est le monde des crinolines et des équipages, des champs de course et des quadrilles, des domesticités nombreuses et des hôtels particuliers tapageurs. C'est celui des courtisanes, de la Païva, d'Hortense Schneider et de Nana, où passent, comme des météores, hommes d'affaires, gens du monde, aventuriers, monde de l'argent-roi et du sexe facile : « du plaisir à perdre haleine, oui, voilà la vie parisienne ». C'est un monde mêlé, comme la doctrine bonapartiste, celui de la promenade au Bois, le long de l'avenue de l'Impératrice, celui des bals aux Tuileries, des étés à Deauville, à Biarritz ou à Vichy, des automnes à Compiègne.
L'aristocratie traditionnelle garde quelque distance à l'égard de cet univers où la moralité est si déficiente et les parvenus si visibles. La meilleure société continue à vivre entre elle, l'été sur ses terres, l'hiver au faubourg Saint-Germain.
Même si elle profite des chemins de fer pour voyager davantage, la bourgeoisie provinciale reste pour sa part fidèle à une éthique du travail et de la mesure, à des loisirs familiaux (le piano joue ici un très grand rôle), à la sociabilité des salons et des « jours ».

2. L'art officiel
L'art dominant est à l'image du milieu que nous venons de décrire : pompier et éclectique.
C'est particulièrement vrai en architecture, avec la vague néo-gothique des reconstructions d'églises et le refus du modernisme technique pour l'immeuble d'habitation.
C'est aussi vrai en peinture. Des portraitistes complaisants comme Winterhalter, des peintres d'histoire et de batailles réalistes comme Cabanel et Meissonnier, des peintres d'allégorie obtiennent de nombreuses commandes. Ils dominent le système d'enseignement et ont seuls l'accès au « Salon » (annuel après 1861). Il est vrai qu'ils commencent à subir la concurrence technique et économique de la photographie (Nadar).

Le sculpteur Carpeaux multiplie les bustes élégants, sans doute un peu flattés, de ses riches commanditaires, mais réussit une évocation bondissante de *la Danse* (1869), commande réalisée pour l'Opéra-Garnier.
Enfin, les comédies de Labiche et les opérettes d'Offenbach résument assez bien un certain esprit du Second Empire, fait d'esprit de jouissance et de cynisme, de sentimentalité et de couardise, de bêtise et de naïveté.

D – Les avant-gardes : la révolution littéraire de 1857, l'impressionnisme

En dépit (ou peut-être en raison) de son philistinisme foncier, le Second Empire a vu la floraison de talents artistiques exceptionnels. C'est alors que Flaubert écrit l'essentiel de son œuvre, que Baudelaire lance la révolution poétique des *Fleurs du mal*, que la révolution impressionniste éclate au grand jour. Ainsi se creuse le fossé qui sépare le « bourgeois » de l'« artiste ».

1. L'avant-garde littéraire

Dans les lettres, la génération de 1850 est celle du passage au réalisme. Depuis 1840, le romantisme poétique battait de l'aile : Victor Hugo part pour un long exil en 1851 ; les grandes voix se taisent peu à peu. La jeune génération s'efforce de comprendre les raisons de ses déceptions quarante-huitardes : l'intelligence revient au premier plan ; le sentiment, qui avait tout envahi, est brutalement dévalué au bénéfice de la critique, de la technique et du travail.
La poésie, dominée par le Parnasse (Gautier, Leconte de Lisle, Banville), produit des oeuvres raffinées, excessivement ciselées, à l'inspiration tourmentée par un désir d'originalité sans effusion. Mais Baudelaire sort du lot par la force de son aventure intérieure (sa « conscience dans le mal »), l'originalité de son vers qui n'hésite pas à flirter avec la prose, sa sensibilité au temps et au lieu, son génie critique.
La même année qui vit la révolution baudelairienne (1857) vit une révolution romanesque de même ampleur, avec la publication de *Madame Bovary* (le premier roman à avoir été écrit comme un poème, selon Milan Kundera). Le style de Flaubert devait encore donner à l'époque son grand roman des illusions perdues : *L'Éducation sentimentale*, à la fois autobiographie, album d'une génération sacrifiée, épopée du rien. Mais l'œuvre, à sa parution en 1870, ne rencontra pas son public.

2. L'impressionnisme

En peinture, la vraie révolution vient en 1863 avec le « Salon des refusés ». Cette année-là, Napoléon III autorisa les peintres dont les œuvres n'avaient pas été retenues pour le Salon à les exposer ailleurs : on y trouvait Manet et Pissarro.

Avec Sisley, Monet, Renoir, Degas, ils constituèrent ce qu'on appela, à partir de 1874, l'impressionnisme. Le plein air l'emporte ici sur l'atelier, la couleur sur le dessin, l'impression visuelle d'ensemble sur l'exactitude de détail, la subjectivité sur le sujet.

L'enracinement de la République (1879-1914)

Après leurs succès électoraux de 1876, 1877 et 1879, les républicains parviennent à imposer durablement leurs valeurs et leurs hommes. S'appuyant sur les deux héritages politiques des périodes précédentes, le parlementarisme et le suffrage universel, ils construisent un système politique original, hostile à l'Église, pragmatique sur la plupart des autres sujets, et suffisamment solide pour survivre à des crises redoutables et traverser la Grande Guerre.

A– La République opportuniste (1879-1885)

L'opportunisme, comme le rappelle Gambetta dans son discours à Belleville en 1881, est une volonté de tirer les leçons du passé républicain, pour en finir avec «l'esprit de chimère», celui de la Commune, et son corollaire, «la peur des possédants». Pour eux, la République doit cesser d'être une transition vers le césarisme, en se montrant non violente, empirique et efficace, et en s'appuyant sur une partie de la bourgeoisie. C'est à ces conditions que la République sera féconde et bénéficiera du long terme qui, jusque-là, lui a toujours fait défaut.

L'opportunisme est aussi une façon d'adapter la République aux circonstances. C'est un système défensif, qui tient compte de la force de l'adversaire à l'intérieur et de la faiblesse diplomatique et militaire de la France à l'extérieur. C'est enfin, après la défaite et la Commune, un essai de rassemblement du peuple et d'une fraction de la bourgeoisie, une tentative de réconciliation entre la République et l'armée.

➜ Les faiblesses de l'opportunisme

Cela dit, l'opportunisme présente quelques difficultés théoriques et pratiques. La principale est la laïcité, à laquelle ces républicains modérés sont très attachés, preuve qu'il y a dans l'opportunisme un fond de radicalisme, preuve aussi que les opportunistes réservent leur rigueur aux questions métaphysiques et leur empirisme aux questions sociales. La seconde est justement la pauvreté de leur programme économique et social, qui se résume à un refus d'intervenir dans la lutte des classes : la République perd en contenu social ce qu'elle gagne en extension électorale. L'opportunisme est ainsi susceptible de nombreux dépassements sur sa gauche.

Il est par ailleurs un temps affaibli par la rivalité qui oppose Ferry à Gambetta : le style des deux leaders est très différent et la Gauche républicaine de Ferry est plus bourgeoise que l'Union républicaine de Gambetta. L'échec du « grand ministère Gambetta » au bout de 67 jours en janvier 1882, puis la mort de Gambetta en décembre 1882, permettront à Ferry de prendre alors plus d'ascendant sur l'ensemble de la mouvance opportuniste. Au total, il est bien l'homme le plus influent de la période, presque continûment ministre de l'Instruction publique entre 1879 et 1883, et président du Conseil à deux reprises, en 1880-1881, et en 1883-1885. Mais tous les républicains ne sont pas opportunistes, et l'unité du camp républicain était surtout sensible dans l'adversité ; il était normal qu'elle disparût avec la victoire. Les radicaux accusent les opportunistes d'être infidèles au programme de 1869. Ils proposent la révision de la Constitution : suppression du Sénat, suppression de la présidence de la République. Ils veulent réaliser une démocratie politique renforcée (avec élection des magistrats et séparation absolue de l'Église et de l'État), ayant aussi un certain contenu social (impôt sur le revenu, impôt sur les successions, ouverture de caisses de retraites pour les travailleurs, autorisation du syndicalisme, réduction de la journée de travail). En politique étrangère, ils refusent, par nationalisme, les entreprises coloniales, prônées par les opportunistes, comme des concessions dangereuses faites aux visées de Bismarck ; celui-ci en effet accepte que la France compense ainsi son isolement en Europe, mais souhaite secrètement que le colonialisme français renforce cet isolement. La haine de Clemenceau pour Ferry est un facteur supplémentaire d'opposition : Clemenceau, maire du XVIIIᵉ arrondissement (Montmartre) au moment de la Commune, considérait qu'un fleuve de sang le séparait de Thiers et de ceux d'entre les républicains de la veille qui avaient accepté la répression, et dont Ferry faisait partie. Or, Clemenceau est redoutable : il a un quotidien, La Justice, et le don de perturber les débats à la Chambre. C'est lui qui fera tomber Ferry en 1885 sur l'affaire de Langson.

1. L'œuvre des opportunistes

Cela dit, l'œuvre des opportunistes est immense, aussi bien du côté de la modernisation de l'État, que de celui de la politique scolaire ou de la politique coloniale.

→ La modernisation de l'État

Les institutions de 1875 sont stabilisées, au prix de révisions limitées, mais significatives. La symbolique républicaine est alors mise en place : *la Marseillaise* devient hymne national en février 1879 ; les pouvoirs publics qui se trouvaient à Versailles depuis 1871 regagnent Paris en juin 1879 ; le 14 juillet devient fête nationale à partir de l'été 1880.

La révision de 1884 interdit qu'une révision constitutionnelle puisse porter sur « la forme républicaine de gouvernement » et déclare inéligibles à la présidence de la République les « membres des familles ayant régné sur la France ». Elle modifie la composition du Sénat (suppression des sénateurs inamovibles), mais ne le détruit pas. Elle supprime les « prières publiques » prévues pour la rentrée parlementaire, mais n'annule pas le Concordat.

À cette révision s'ajoutent des mesures de laïcisation ponctuelles : suppression de l'obligation du repos dominical ; rétablissement du divorce par la loi Naquet en 1884 ; laïcisation des hôpitaux (mais pas de leur personnel), des tribunaux (mais pas du serment « devant Dieu et les hommes »), des casernes. La victoire de la laïcité se dit grandiosement dans les funérailles nationales et civiles de Victor Hugo, transporté au Panthéon en mai 1885.

Des libertés nouvelles s'affirment : la liberté de la presse et la liberté syndicale. La presse est définitivement régie par la loi du 29 juillet 1881, qui libère totalement l'imprimerie et la librairie, ainsi que la colportage et l'affichage, supprime toute mesure préventive ainsi que le délit d'opinion, à l'exception des délits de droit commun. La liberté de réunion est acquise par la loi du 30 juin 1881 et par la loi très libérale sur les débits de boisson du 17 juillet 1880. La liberté syndicale est l'objet de la loi votée en 1884 : cette loi, qui ne donne pas la liberté d'association (laquelle ne sera acquise qu'en 1901) est censée atténuer la lutte des classes en améliorant les conditions de la négociation entre patrons et ouvriers. Les syndicats obtiennent la personnalité civile (ils peuvent contracter, posséder des biens et des locaux), et leurs fédérations géographiques ou professionnelles sont autorisées. Le livret ouvrier est rendu facultatif en 1884, et supprimé en 1890.

Les libertés locales connaissent une renaissance. La loi du 4 mars 1882 et la grande loi municipale du 5 avril 1884 consacrent l'élection des maires pour 4 ans (sauf à Paris où, pour des raisons d'ordre public, le préfet de la Seine et le préfet de police exercent les pouvoirs du maire), et instituent la publicité des séances. La commune est désormais perçue comme le niveau de base de la démocratie, celui où se fait l'éducation politique de ceux qui aspirent à la gestion des affaires publiques. Cela dit, la commune reste sous la tutelle financière du préfet, et il n'y a pas, à proprement parler, de décentralisation.

L'épuration de l'administration est rondement menée, mais elle varie selon les secteurs : très forte dans la préfectorale et dans la magistrature, elle touche en revanche très peu l'armée et la diplomatie. En matière de recrutement de fonctionnaires, le principe méritocratique est désormais le seul valide, avec quelques entorses, il est vrai.

→ **La politique scolaire**

La politique scolaire des républicains prend la forme d'une bataille extrêmement dure contre les catholiques, sur un terrain qui leur tenait particulièrement à cœur. Plusieurs défis sont en effet lancés depuis la fin du Second Empire par les leaders républicains. Pour eux, la scolarisation doit être une obligation juridique, s'imposant donc au père de famille : le catéchisme ne peut plus être enseigné à l'école publique ; aucun compromis n'est possible entre la pédagogie de l'Église et celle de la République. Pour l'Église, en effet, les principes républicains sont « la négation du péché originel » ; pour la République, l'homme ne peut réaliser toutes ses potentialités hic et nunc qu'en renonçant au mépris de la vie terrestre qui fait le fond du catholicisme. L'affrontement, très violent, oppose deux visions antithétiques de la liberté : liberté de l'enfant contre liberté des parents, conception émancipatrice fondée sur l'individu et conception organiciste fondée sur les institutions « naturelles ».

Les lois Ferry découlent de ce constat, et font « l'école primaire gratuite, laïque et obligatoire » : loi du 16 juin 1881 sur la gratuité ; loi du 28 mars 1882 sur l'obligation scolaire de 7 à 13 ans et sur la laïcisation des programmes et des locaux, complétée par une loi de 1886 sur la laïcisation des personnels. L'essentiel se joue dans les symboles, les programmes, le statut et la formation des enseignants. L'école primaire est désormais fermée aux emblèmes religieux. Une circulaire du 2 novembre 1882 demande même qu'on enlève les crucifix dans les locaux neufs ou rénovés. Le catéchisme disparaît des programmes et ne peut être enseigné aux enfants qu'à l'extérieur de l'école (dont le curé se voit ainsi interdire l'accès). Après 1886, les congréganistes (hommes ou femmes) ne peuvent plus devenir instituteurs publics. Les nouveaux programmes primaires (ceux de 1882) sont encyclopédiques, au sens où ils visent à donner aux enfants des savoirs positifs, en plus de la lecture, de l'écriture et du comput. « Éléments de la littérature française », « histoire et géographie de la France » (ici triomphera le *Petit Lavisse*), « leçon de choses », « instruction morale et civique » ouvrent l'enseignement primaire à la patrie, au monde et au progrès.

La filière primaire supérieure est développée. Elle permet de poursuivre au-delà du certificat d'études, soit dans un cours complémentaire, soit dans une école primaire supérieure ; elle offre le meilleur moyen de préparer les concours de la petite fonction publique et, en particulier, ceux des écoles normales d'instituteurs, et correspond à l'idéal de promotion modérée des opportunistes. Les enseignements secondaire et supérieur n'échappent pas au réformisme. Dans les lycées, l'essentiel est la réforme des programmes de 1880. La part du latin est diminuée : le discours latin est supprimé au baccalauréat ; la littérature française et l'histoire littéraire passent au premier plan. C'est peu de chose, mais sans doute le maximum qui puisse être fait, vu le traditionalisme des professeurs et d'une grande part des parents (ceux qui appartiennent aux élites anciennes). Un enseignement secondaire de jeunes filles est créé par la loi Camille Sée du 21 décembre 1880. En conséquence s'ouvrent des lycées de jeunes filles et une École normale (celle de Sèvres) pour en former les professeurs, tandis que sont créées des agrégations féminines. Dernier point notable à propos de l'enseignement secondaire : au terme d'une bataille parlementaire extrêmement vive, les jésuites subissent, par décret, une nouvelle expulsion (29 mars 1880).

→ La politique coloniale

L'œuvre coloniale est également très importante. La France des années 1880 n'est pas massivement convertie au colonialisme républicain : antiferrysme de droite et antiferrysme radical se rejoignent même sur cette question. Les radicaux, par la bouche de Clemenceau, dénoncent le racisme latent du projet ferryste. Les économistes libéraux insistent sur le gaspillage financier et humain que représentent les expéditions coloniales, avec leur cortège de pertes militaires, de dépenses navales, de frais d'aménagement des territoires conquis, d'affairisme louche (la campagne de Tunisie en fournissait de beaux exemples), de mesures de rétorsion étrangères. Enfin, on l'a vu, les radicaux affirment que les « aventures coloniales » mettent en danger l'indépendance et la sécurité nationales, isolent davantage la France (en irritant la Grande-Bretagne), détournent le pays de la seule question diplomatique qui vaille, « la ligne bleue des Vosges ».

Les réalisations coloniales n'en furent pas moins imposantes : intervention en Tunisie en avril-mai 1881 ; intervention au Tonkin en 1882-1885 ; participation française à la Conférence de Berlin sur le partage de l'Afrique en 1884-1885 ; création de grandes infrastructures (sous-secrétariat d'État aux colonies créé en 1881, qui deviendra un ministère en 1894). C'est cependant sur une question coloniale que chuta Ferry, le 30 mars 1885.

L'intervention française au Tonkin avait provoqué une guerre franco-chinoise en 1884. La prise du poste frontière de Lang Son par les Chinois fut transformée par la rumeur, contre toute vraisemblance, en « Sedan d'outre-mer ». À une forte majorité, la chambre vota un ordre du jour contre le cabinet. Ferry démissionna. Toute la fin de sa carrière en fut salie et attristée : les enfants le huaient dans la rue, un boulangiste lui tira dessus. Il ne fut plus jamais ministre, échoua à la présidence de la République en 1887, aux élections législatives de 1889. Il se remettait en selle au Sénat (où il avait été élu en 1891, et dont il fut élu président en février 1893), lorsque la mort l'emporta le 17 mars 1893. Avec lui disparaissait le plus important des pères fondateurs de la IIIe République.

B – Les crises : de Boulanger à Dreyfus (1885-1899)

La période qui s'ouvre au départ de Ferry (1885) et qui s'achève avec le second procès Dreyfus (1899), est une séquence très troublée de la IIIe République.
Les élections de 1885 ont en effet divisé la Chambre en trois groupes à peu près égaux, radicaux, opportunistes, conservateurs, rendant difficile l'émergence d'une majorité. Le système parlementaire mis en place à la fin de la décennie 1870 engendre l'instabilité ministérielle et n'accomplit qu'une œuvre sociale limitée.
La politique étrangère des opportunistes, strictement défensive et soumise au système bismarckien, blesse l'orgueil national, à vif depuis 1871. Une partie de l'opinion républicaine se prend donc à rêver d'un pouvoir fort, qui saurait améliorer la vie quotidienne et tenir tête à l'Allemand. Elle croit l'avoir trouvé en la personne d'un jeune et fringant général, Boulanger, nommé ministre de la Guerre dans le gouvernement Freycinet de janvier 1886.

1. Le boulangisme

Boulanger passe pour proche des radicaux. Ancien condisciple de Clemenceau au lycée de Nantes, il prend des mesures disciplinaires contre certains officiers monarchistes, raye des cadres les princes des familles ayant régné sur la France, lance un projet de service militaire vraiment universel. Soucieux du sort de la troupe, il améliore le régime des permissions et se rend extrêmement populaire. La revue du 14 juillet 1886 à Longchamp voit son triomphe.
Mais ce ministre de la Guerre n'est pas seulement républicain. C'est aussi un va-t-en-guerre (le « général Revanche »), qui fait des rodomontades contre Bismarck, alors occupé à faire voter une nouvelle loi militaire. Il brandit une menace de mobilisation des troupes de couverture lors de l'affaire Schnaebelé (avril 1887), au cours de laquelle un commissaire de police français est arrêté pour espionnage par les autorités allemandes. L'affaire se règle discrètement, mais les opportunistes les plus lucides (Ferry) redoutent désormais une catastrophe impromptue. Ils obtiennent qu'un nouveau ministère soit constitué sans Boulanger (mai 1887), et que celui-ci soit envoyé à Clermont-Ferrand. Son départ est l'occasion d'une grande manifestation de sympathie à la gare de Lyon.

La fin de l'année 1887 est occupée par le scandale des décorations : le gendre du président Grévy, Wilson, trafiquait de la légion d'honneur. La chute de Grévy, remplacé par Sadi Carnot, affaiblit encore un peu le régime. Boulanger souhaiterait retrouver son ministère, mais il est éconduit. Il se tourne alors secrètement vers les leaders de la droite monarchiste : le baron de Mackau, le prince Jérôme Bonaparte. Le ministre de la Guerre réagit en le mettant en situation de non-activité, puis à la retraite d'office en mars 1888. Cette décision malheureuse ouvre à Boulanger la possibilité de se présenter aux élections.

→ Les élections de 1888 et 1889 et la condamnation de Boulanger

En avril 1888, il est élu en Dordogne avec des voix bonapartistes et radicales ; puis, triomphalement, dans le Nord (avec des voix ouvrières), sur un programme de révision constitutionnelle qui donnerait davantage de pouvoir au président de la République. Le 27 janvier 1889, il triomphe à Paris. Dans toutes ces élections partielles, il n'a pas de concurrent sur sa droite, ce qui prouve que, derrière sa façade républicaine, le boulangisme conclut des alliances avec les monarchistes. Le mouvement est en effet une coalition : il a pour militants des hommes venus de la gauche anti-opportuniste, des radicaux (comme Naquet) favorables à la « révision » des lois fondamentales de 1875, voire des socialistes ; il a pour alliés les monarchistes, qui sont réduits à l'impuissance depuis 1877 et espèrent bien pouvoir se remettre en selle en le manœuvrant. Le comte de Paris, la duchesse d'Uzès, le directeur du Gaulois, les chefs du bonapartisme et de la Ligue des Patriotes, tous fournissent à Boulanger de l'argent et des moyens de propagande. Le boulangisme correspond d'ailleurs à un apogée de la bimbeloterie politique (jeux de cartes, bustes, chansons, assiettes), laquelle va souvent de pair avec une personnalisation bonapartiste du pouvoir. Au soir de son élection parisienne, Boulanger, hanté par le souvenir du 2 décembre, résiste à ceux de ses partisans qui veulent le faire marcher sur l'Élysée. Il laisse ainsi à ses adversaires le temps de s'organiser : la Ligue des patriotes est dissoute ; le clergé est repris en mains par le ministère des Cultes (menace de suspension des traitements à ceux qui feraient des prônes révisionnistes) ; Boulanger et ses acolytes (en fuite) sont traduits en Haute Cour et lourdement condamnés par contumace. L'Exposition universelle de 1889 (celle de la Tour Eiffel et de la « fée électricité ») et les brillantes célébrations du centenaire de la Révolution détournent les esprits du mouvement et raffermissent le camp des vrais républicains. Abandonné de tous, le général finit par se suicider sur la tombe de sa maîtresse, à Bruxelles. Aux élections générales de 1889, les révisionnistes sont battus par les républicains modérés. Ceux-ci bénéficient du retour au scrutin d'arrondissement, qu'ils jugent désormais excellent.

➜ L'héritage du boulangisme

Le boulangisme n'est pas un accident de notre histoire politique. Il s'inscrit dans la lignée des tentatives bonapartistes, dont il retrouve les aspirations contradictoires. Il resurgit chaque fois que le mécontentement et la frustration se disent sous une forme cocardière et antiparlementaire, chaque fois que la France se cherche un sauveur. Il a laissé des traces profondes : c'est avec l'aventure de Boulanger que le nationalisme français (qui était jusque-là plutôt à gauche) passe à droite, se teintant fortement d'antiparlementarisme et de militarisme ; l'évolution de Paris, qui avait connu un boulangisme authentique, est particulièrement révélatrice. C'est aussi en cette fin de la décennie 1880 que l'antisémitisme prend un nouvel essor politique, avec la publication du pamphlet néo-darwinien de Drumont, *La France juive* (1886). Il mord sur une fraction de la gauche, sensible à son caractère anticapitaliste ; sur les révisionnistes de tout bord, convaincus que les juifs sont les principaux bénéficiaires du parlementarisme étriqué qui règne sur la France, et que l'internationale juive met le pays en danger ; enfin, sur la droite traditionnelle, qui n'accepte pas en profondeur l'émancipation des minorités confessionnelles issue de la Révolution. Une certaine obsession de la décadence, liée aux difficultés économiques de la période et en rupture complète avec l'optimisme politique des républicains du XIXᵉ siècle, prend ainsi naissance en cette décennie 1880.

L'après-boulangisme est dominé par les «progressistes», ou républicains modérés. D'une grande timidité en matière économique ou sociale (comme le prouve le retour au protectionnisme en 1892), mais désormais, aussi, en matière religieuse, ces hommes ne laissent une œuvre importante que dans le champ diplomatique : la fin de l'isolement français par l'alliance franco-russe.

➜ Le scandale de Panama

À peine le boulangisme retombé, le système parlementaire est de nouveau sur la sellette dans l'affaire de Panama. La compagnie du canal de Panama, créée en 1879, a dû en 1885 procéder à des emprunts supplémentaires pour subvenir à ses besoins. Une loi lui a été nécessaire, qui a été finalement votée en 1888. En 1889, la compagnie fait faillite.

Le scandale éclate en 1892, lorsque Drumont, dans *La Libre Parole*, déclare qu'une partie importante des capitaux de la compagnie a servi à arroser une centaine de journalistes et de parlementaires au moment du vote de la loi, et que des financiers juifs, Herz et Reinach, sont au cœur du dispositif. Dans les semaines qui suivent, plusieurs noms de politiciens sont mis en cause, parmi lesquels Rouvier, Freycinet, Floquet, Clemenceau, le ministre Baïhaut. Un procès a lieu en 1893, aboutissant au non-lieu de la plupart des politiques, sauf Baïhaut qui avait reconnu les faits. L'épisode inspira à Clemenceau son célèbre adage : « n'avouez jamais ». Cela dit, le scandale de 1892 est tel que le *lobbying* à l'américaine ne peut s'enraciner durablement. Les Français seront désormais presque toujours soupçonneux sur les liens de la politique et de l'argent.

L'affaire de Panama entraîne également la transformation des « opportunistes » en « progressistes » (c'est juste un changement d'étiquette, pour éviter un substantif connotant un peu trop l'affairisme) et, plus important, un renouvellement du personnel politique. Profitant de l'échec ou de la retraite des compromis, une nouvelle génération de républicains modérés fait alors son entrée aux affaires, dont la célèbre triade des jeunes ministres de 1894, promise à un bel avenir : Barthou, Leygues, Poincaré.

→ Les attentats anarchistes

Les années 1892-1894 voient également se succéder une série d'attentats anarchistes meurtriers, généralement à la bombe. L'anarchisme, qui procède intellectuellement de Max Stirner et de Proudhon, s'est cristallisé, autour de Bakounine, dans la lutte des anti-autoritaires contre les marxistes au sein de la Première Internationale ; ce qui vaut aux anarchistes d'être très tôt chassés de la Seconde, en 1892. Il s'est diffusé ensuite en France, au cours de la décennie 1880, dans des milieux restreints : sous-prolétariat, intellectuels, dont le géographe Elisée Reclus et la célèbre communarde Louise Michel, sans parler des sympathisants comme Octave Mirbeau. Les anarchistes considèrent que la source de tous les maux est l'État, que le parlementarisme, le réformisme sont des duperies, que toutes les autorités sont des complices de l'État. Ils ne croient qu'à la grève générale révolutionnaire et à la « propagande par le fait » (l'attentat).

Les plus célèbres attentats sont celui de Ravachol contre des magistrats parisiens en mars 1892, celui d'Auguste Vaillant sur « les bouffe-galette de l'aquarium », c'est-à-dire sur les députés en séance à la Chambre en novembre 1893, celui de Caserio qui coûte la vie au président Sadi Carnot en visite à Lyon en juin 1894. La réaction est rapide et sévère. Tandis que les auteurs de ces attentats sont condamnés à mort et exécutés, des lois sont votées (les « lois scélérates ») en 1893-1894, qui limitent la liberté de la presse et interdisent la propagande anarchiste. Dès lors, l'anarchisme cesse de se chercher du côté de la « propagande par le fait » et choisit essentiellement la voie syndicale ; on parlera vite d'anarcho-syndicalisme pour décrire la stratégie de la CGT créée en 1895.

→ Le renforcement du socialisme

Moins spectaculaire mais plus important que l'anarchisme (qui ne compte jamais que deux ou trois milliers de militants), le socialisme commence à se renforcer.

Réduit à peu de chose pendant la décennie 1870 par la répression de la Commune, il a fini par connaître une lente renaissance, sous une forme extrêmement divisée. L'amnistie de 1879-1880 a fait sortir de prison ou rentrer d'exil un certain nombre de blanquistes qui, en 1881, à la mort de Blanqui, créent le Comité révolutionnaire central. De son côté, dès 1879, le journaliste Jules Guesde a créé à Marseille la Fédération du parti des travailleurs socialistes de France, laquelle F.P.T.S.F. se divise très vite lorsque Guesde en décide la marxisation, c'est-à-dire la conversion au socialisme scientifique. Les partisans de Brousse, favorables au «possibilisme», refusent la stratégie du «tout ou rien», qui aboutit trop souvent au «rien du tout». En 1882, Guesde, mis en minorité, doit créer un nouveau parti, le P.O.F. (parti ouvrier français). Nouvelle division lorsque, en 1890, Jean Allemane quitte à son tour la F.T.P.S.F. de Brousse (qu'il accuse de se compromettre avec les partis bourgeois), pour fonder le P.O.S.R. (Parti ouvrier socialiste révolutionnaire), désireux de propagande dans le cadre syndical, mais ouvert aux intellectuels (le bibliothécaire de l'École normale, Lucien Herr, est allemaniste).

Aux quatre grands partis, s'ajoutent des socialistes indépendants, dont le plus célèbre est Millerand, directeur de *La Petite République*. Cela dit, les socialistes, même divisés, réalisent un beau score aux législatives de 1893 : avec 600 000 voix et 50 élus, ils quadruplent leur résultat de 1889. Aux municipales de 1896, ils font mieux encore, dominant désormais les conseils de Lille, Limoges, Roanne, Carmaux, Marseille, Dijon.

→ Le ralliement et l'esprit nouveau

Le successeur de Pie IX après 1878, Léon XIII, s'efforce de sauver ce qui peut être sauvé dans l'Église de France. Il conseille par conséquent aux catholiques d'accepter le régime dans lequel ils sont condamnés à vivre : «sauvez au moins votre religion si vous n'avez pas su sauver votre monarchie», dit-il à un visiteur français. Or, la plupart des catholiques sont résolument hostiles au républicanisme laïc des opportunistes, et refusent d'entendre ces conseils. L'échec du boulangisme, en ôtant ses dernières chances à la restauration monarchique, change quelque peu les données du problème.

Le pape en tire parti pour réitérer son invitation à une «adhésion sans arrière-pensée» à la forme républicaine de gouvernement, par l'intermédiaire du cardinal Lavigerie, archevêque d'Alger. Celui-ci s'en ouvre aux officiers (pour la plupart monarchistes) de la flotte de Méditerranée : c'est le toast d'Alger du 12 novembre 1890, avant lequel le cardinal fait jouer la *Marseillaise* par les enfants de l'école des pères blancs ! Enfin, le pape publie une encyclique (*Inter sollicitudines*, 1892), dans laquelle il considère que la reconnaissance de la République est en France une «nécessité du bien social».

La plupart des catholiques s'inclinent, certains assez volontiers, comme Jacques Piou, beaucoup à contrecœur, tels les catholiques sociaux d'Albert de Mun. Il reste cependant des centaines de milliers de réfractaires. À court terme, le ralliement affaiblit la droite. Aux élections de 1893, certains électeurs s'abstiennent; les reports de second tour se font très mal. Cela dit, les «progressistes tendent la main aux ralliés en proposant «l'esprit nouveau» (1894), c'est-à-dire une trêve dans le combat laïc. C'est la pratique dominante jusqu'en 1899, et elle permet l'émergence d'une démocratie chrétienne dont le représentant le plus célèbre est l'abbé Lemire, député du Nord en 1893. Les radicaux et certains socialistes, tel Jaurès, crient à la trahison des républicains opportunistes.

→ L'alliance franco-russe

L'alliance franco-russe est la plus grande réussite de la diplomatie française avant 1914. C'est elle en effet qui a permis à la France de desserrer l'étau du système de Bismarck. En 1889, l'isolement diplomatique de la France était à son summum: la plupart des pays invités refusent de participer aux fêtes de l'Exposition universelle. En 1893, la France a un allié de poids. Cette alliance avait tout pour surprendre: la République était l'antithèse de l'autocratie russe, le tsar était un cousin de l'empereur d'Allemagne. Beaucoup, dont les diplomates allemands, la jugèrent destinée à s'effilocher.

L'essentiel s'est cependant joué entre 1888, date d'ouverture du marché financier français aux emprunts russes (immense succès), et 1892, date de la signature d'une convention militaire. Les états-majors des deux pays ont joué un rôle décisif en prenant contact l'un avec l'autre dès 1890, et en organisant les visites de la flotte française à Kronstadt en 1891, et celle de la flotte russe à Toulon en 1893.

La convention de 1892 stipule que, si la France est attaquée par l'Allemagne ou par l'Italie soutenue par l'Allemagne, la Russie lui portera secours. En sens inverse, la France s'engage à secourir la Russie attaquée par l'Allemagne, ou par l'Autriche-Hongrie soutenue par l'Allemagne. Des insuffisances subsistent: les Français ne veulent pas être liés à l'expansionnisme russe en Extrême-Orient ou dans les Balkans, et les Russes utilisent les capitaux français pour acheter des produits industriels allemands. En dépit de cela, l'alliance franco-russe tient bon jusqu'en 1914.

L'époque des progressistes voit également le vote de la loi militaire de 1889, qui universalise le service militaire; celui-ci est de trois ans, mais les soutiens de famille, les séminaristes, les diplômés de l'enseignement supérieur ne servent qu'un an. L'armement est amélioré par la généralisation du fusil Lebel et l'adoption du canon de «75» tirant vingt coups à la minute.

2. L'affaire Dreyfus

→ La montée de l'antisémitisme

L'affaire Dreyfus éclate dans un contexte de renouvellement de l'antisémitisme et d'espionite aiguë. On l'a dit, l'antisémitisme connaît une vigoureuse poussée avec Drumont. Celui-ci, qui a connu le succès avec *La France juive* en 1886 (114 éditions en un an), crée en 1889 la Ligue nationale antisémitique française dont le slogan est «la France aux Français». Il lance en 1892 La *Libre Parole*, qui concurrence *La Croix*, «le journal le plus antijuif de France», sur le terrain de l'antisémitisme le plus violent. Pour ces journaux, le Juif est un corps étranger qui menace l'intégrité de la France; errant et cosmopolite, c'est par ailleurs la figure idéale du traître.

→ Dreyfus accusé d'espionnage

Or, au même moment, l'état-major, au sein duquel s'affrontent anciens élèves des jésuites, les «Postards», et officiers républicains, est convaincu que des informations de la plus haute importance sont livrées à l'Allemagne. Celle-ci dispose d'ailleurs à Paris d'un attaché militaire très actif, Schwartzkoppen, qu'épaule son amant, l'attaché militaire italien Panizzardi. L'opinion est confusément consciente du danger; au début des années 1890, les histoires d'espionnage fournissent la matière d'un grand nombre de feuilletons.

En septembre 1894, le service du contre-espionnage français («service de statistique») découvre que des documents très importants concernant les armes françaises les plus récentes ont été livrés à l'ambassade d'Allemagne. Un agent français (une femme de ménage, Mᵐᵉ Bastian) en a retrouvé le bordereau (la liste) dans une corbeille à papiers. L'enquête se concentre rapidement sur les officiers d'état-major, seuls susceptibles de connaître des secrets aussi importants. Parmi eux, le capitaine Alfred Dreyfus, ancien élève de Polytechnique, semble avoir une écriture proche de celle du bordereau. Il est réfugié d'Alsace et donc germanophone, juif et donc traître. Le 15 octobre, il est convoqué pour une dictée au ministère et arrêté. Bien qu'il ait toujours protesté de son innocence, le 22 décembre 1894, le conseil de guerre, à l'unanimité, le déclare coupable et le condamne à la dégradation et à la déportation à perpétuité à l'île du Diable (au large de Cayenne).

Pendant plusieurs années, il n'y a pas d'affaire Dreyfus. Tout le monde en France est convaincu de la culpabilité du capitaine: les spectateurs de la dégradation (qui eut lieu dans la cour de l'École militaire), les journaux et leurs lecteurs, les politiques.

C'est la famille de Dreyfus (son frère, Mathieu, sa femme, Lucie) et le journaliste anarchisant Bernard Lazare qui finissent par ouvrir une brèche dans ce mur de certitudes. Ayant appris qu'un dossier secret avait été communiqué aux juges en décembre 1894, en contradiction avec les règles de la procédure, ils bataillent pour obtenir la révision du procès. Un tournant est atteint en 1896, lorsque le lieutenant-colonel Picquart, nouveau chef du service de statistique, découvre qu'un officier français est toujours en relation avec l'attaché militaire allemand qui lui a adressé un télégramme, dont un brouillon à adresse, «le petit bleu», est tombé entre les mains des services français. Cet officier s'appelle Esterhazy. Il a de gros besoins d'argent, et Picquart découvre avec stupeur qu'il a la même écriture que l'auteur du bordereau. Picquart fait part de sa découverte à son ministre, qui le mute d'office en Tunisie en novembre 1896, et lui donne pour remplaçant le colonel Henry, compromis dans la forfaiture de 1894.

Quoi qu'il en soit, les différentes pistes, celle de la famille, celle de Picquart, celle d'un banquier qui découvre l'écriture de son client Esterhazy dans le bordereau publié par la presse, finissent par se recouper, ce qui renforce la combativité des partisans de Dreyfus. Désormais certain de l'innocence du capitaine, le vice-président du Sénat, l'Alsacien Scheurer-Kestner, décide de demander publiquement la révision du procès en novembre 1897.

→ L'Affaire

L'Affaire proprement dite commence alors. La plupart des journaux, la plus grande partie de l'opinion restent convaincus de la culpabilité de Dreyfus. À la Chambre, le président du Conseil Méline s'exclame, le 4 décembre 1897 : « il n'y a pas d'affaire Dreyfus ! » Ayant obtenu de passer devant un conseil de Guerre pour laver son honneur, Esterhazy est déclaré innocent à l'unanimité (janvier 1898).

Le lendemain de l'énoncé du verdict, Zola, scandalisé, publie une lettre ouverte au président de la République, «J'accuse», dans *l'Aurore* (13 janvier 1898 : le journal triple son tirage habituel). Il y dénonce toutes les forfaitures de l'Affaire, s'en prend à la plupart des responsables militaires et aux juges du conseil de Guerre de 1894. Désormais, les passions se déchaînent. Si Zola, traduit en cour d'assises et condamné à un an de prison, doit fuir en Angleterre, le camp des dreyfusards se renforce sensiblement. Les élèves et anciens élèves de l'École normale supérieure (Charles Péguy, Léon Blum, Lucien Herr), les professeurs de la Sorbonne (Lavisse, Seignobos), ceux que leurs adversaires appellent désormais les «intellectuels», fournissent des bataillons de pétitionnaires en faveur de la révision du procès ; ils rallient aussi à leur cause quelques hommes politiques, dont Jaurès. La Ligue des droits de l'homme est fondée en février 1898. Elle crée des comités en province, et diffuse ainsi assez largement le dreyfusisme, en s'appuyant sur les loges maçonniques.

L'engagement des «intellectuels» et la bannière des «droits de l'homme» disent bien l'enjeu fondamental de l'Affaire : les dreyfusards défendent la vérité contre l'autorité, la justice contre la raison d'État, la raison contre le préjugé. Face à eux, d'autres ligues, la Ligue antisémitique, la Ligue des patriotes (recréée en 1897), la Ligue de la Patrie française (apparue en 1898), le Comité d'Action française (créé en 1898), soutenus par la plupart des salons, l'Académie, l'Église, prennent la défense de «l'honneur de l'armée» et dénoncent dans le mouvement en faveur de la révision un «syndicat» (nous dirions un lobby) de juifs et de maçons.

On a beaucoup dit, en commentaire d'un célèbre dessin de Caran d'Ache montrant les ravages familiaux de l'Affaire, que la France entière s'était divisée à cette occasion. C'est très exagéré. L'Affaire enflamme Paris plus que la province, les villes plus que les campagnes, la métropole moins que l'Algérie, où l'on assiste à de véritables pogroms. Sauf exception, les élections de 1898, très favorables aux radicaux, ne se jouèrent pas sur ce clivage. Et beaucoup de socialistes, jusqu'à la conversion de Jaurès, n'ont pas voulu s'engager dans cette «guerre civile bourgeoise».

Le dénouement de l'Affaire ne vient que lentement. En juillet 1898, le ministre de la Guerre produit à l'assemblée les pièces du «dossier secret», dont l'une, «le billet Alexandrine», est accablante pour Dreyfus (il y est nommé en toutes lettres). Picquart parvient à persuader le ministre de diligenter une enquête. En passant devant une lampe les morceaux recollés du «billet Alexandrine», le capitaine Cuignet s'aperçoit que les différents morceaux ne présentent pas le même quadrillage. Il s'agit bel et bien d'un faux. Convoqué par le ministre, le colonel Henry reconnaît le montage. Il est écroué le 30 août 1898, et retrouvé mort en prison le lendemain.

Pour les dreyfusards, qu'il s'agisse d'un suicide ou d'une liquidation, c'est l'aveu de la forfaiture ; pour les antidreyfusards, dont Maurras, c'est le suicide exemplaire d'un homme qui avait réalisé un «faux patriotique», pour remplacer un document vrai dont la divulgation aurait pu entraîner la guerre entre la France et l'Allemagne.

Une souscription est donc lancée pour la veuve et les orphelins d'Henry («le monument Henry»), dont les listes nous fournissent un des documents les plus effarants qui se puissent lire sur l'antisémitisme ordinaire à la fin du XIXe siècle. Cuisinières, boutiquiers, curés de campagne agrémentent leur don de malédictions variées et de véritables appels au meurtre.

Dans un climat de passion toujours croissante, Déroulède tente un putsch. Au soir des obsèques du président Félix Faure (23 février 1899), il s'efforce d'entraîner le général Roget sur l'Élysée. Mais Roget refuse, et Déroulède est frappé de bannissement. Le 4 juin, le nouveau président de la République, Loubet, est pris à partie aux courses d'Auteuil. Pour lui rappeler son passé «panamiste», le baron de Cristiani lui écrase le chapeau d'un coup de canne. Les manifestations prennent de l'ampleur; le régime même est en péril. La gauche socialiste et radicale exige désormais que l'on impose, contre les menées ligueuses, une «politique de défense républicaine». C'est l'objectif que s'assignera et qu'atteindra le plus long gouvernement de la III République, celui que Waldeck-Rousseau met en place le 23 juin 1899.

3. La réhabilitation de Dreyfus

Lucie Dreyfus a pu présenter un recours en cassation, et obtenir satisfaction le 3 juin 1899. Dreyfus revient de l'Ile du Diable, est jugé de nouveau, de nouveau par un conseil de Guerre («procès de Rennes», août-septembre 1899). L'état-major reprend la thèse du faux patriotique et obtient une seconde condamnation, assortie de délirantes «circonstances atténuantes» qui n'ont pour objet que de réduire la peine à dix ans, et d'ouvrir la porte à une grâce présidentielle, accordée dès le 19 septembre 1899. Dreyfus est libéré et les passions retombent. Il faudra cependant attendre 1906 pour que le capitaine soit pleinement réhabilité et décoré de la Légion d'honneur.

→ Les conséquences de l'Affaire

Elles sont considérables. L'essentiel du contenu politique des années 1900-1905 en est issu.

Les progressistes, qui ont manifesté beaucoup de mauvaise volonté et de force d'inertie, doivent passer la main à ceux qui vont jouer désormais un rôle majeur, les radicaux. Ceux-ci ont vu dans l'antidreyfusisme un énième avatar de leur bête noire, le cléricalisme. De fait, la plupart des catholiques militants ont été antidreyfusards, à l'exception des membres du Comité catholique pour la défense du droit, créé par Paul Viollet en 1899, groupe toujours cité mais dont la résonance fut extrêmement limitée. L'anticléricalisme radical s'en trouve retrempé, et 1905 sera le résultat de 1898.

Quant à l'extrême gauche, devant le danger ligueur, elle n'a pas joué la politique du pire («nous ne sommes pas tenus, pour rester dans le socialisme de nous enfuir hors de l'humanité», Jean Jaurès). Elle a expurgé sa doctrine de ses dernières scories antisémites, a contribué à sauver la République du danger nationaliste, militariste et clérical, et certains de ses membres envisagent même de participer à l'exercice du pouvoir avec les radicaux. C'est ainsi que, pour la première fois, un socialiste, Millerand, entre au gouvernement dans le cabinet Waldeck-Rousseau en 1899.

De l'autre côté de la barrière, une droite activiste a resurgi qu'on avait vue prendre forme pendant le boulangisme, celle des «ligues», droite protestataire ou révolutionnaire, «néo-nationaliste», droite d'urbains, de boutiquiers antisémites, de littérateurs et d'étudiants royalistes, violents en paroles, acquis à la force, soucieux d'autorité. Cette droite nationaliste est sociologiquement et idéologiquement hétérogène. Elle regroupe des éléments des classes moyennes urbaines (voire du peuple) et des éléments des élites, et se divise sur l'héritage de 1789. La chance des républicains fut que la ligue qui survécut le mieux au contexte de sa naissance, l'*Action française* (sa revue devint un quotidien en 1908), fut aussi celle qui avait la base sociale la plus étroite. Les municipales de 1900 virent, sauf à Paris, la déroute des ligueurs, dont la plupart se rallièrent dans la décennie suivante à la droite parlementaire.

C – La République radicale (1899-1905)

Le radicalisme, qui se retrouve au cœur de la «défense républicaine» de 1899, puis du «bloc des gauches» de 1902, a connu une évolution importante depuis 1880. Celui des années de fondation était, on l'a vu, un radicalisme de combat, désireux d'obtenir la révision de la Constitution. Il s'est assagi au sortir de la crise boulangiste, considérant que les institutions de 1875 avaient du bon, même le Sénat. Dans les années 1890, le radical Léon Bourgeois, fondateur du solidarisme, a accepté de participer à plusieurs gouvernements, et a même dirigé un cabinet radical homogène en 1895-1896. Par ailleurs, au même moment, la géographie du radicalisme s'est modifiée: on est passé d'un «radicalisme de boulevard» (urbain, parfois même ouvrier), à un «radicalisme de terroir», sensiblement plus provincial et plus rural. D'une façon générale, la montée en puissance du socialisme pousse inexorablement le radicalisme vers le centre. Mais il reste quelque chose du vieux programme radical, des vieilles passions radicales, avec un certain débraillé de façade et de banquet: l'anticléricalisme.

1. La politique anticléricale

Les radicaux, victorieux aux élections de 1899 et de 1902, convaincus depuis l'Affaire du danger que représente l'alliance «du sabre et du goupillon», inspirent la politique anticléricale de Waldeck-Rousseau (1899-1902), et plus encore celle de Combes (1902-1905). Ils s'appuient sur un grand mouvement d'anticléricalisme populaire, attesté par le succès de la presse spécialisée *(L'Assiette au beurre, La Lanterne, La Semaine anticléricale)*, et des sociétés de libres-penseurs. Jusqu'en 1905, année qui règle la question des relations de l'Église et de l'État et ouvre un autre clivage sur le thème militarisme-antimilitarisme (ou nationalisme-internationalisme), faisant ainsi éclater l'alliance des républicains et des socialistes, la question religieuse est au cœur de l'actualité politique française.

➜ Les lois de 1901 et de 1905

Waldeck-Rousseau, qui veut maintenir le concordat, a une tête de Turc: les congrégations. Non protégées par le système concordataire, elles seraient très riches, tout en résistant aux lois fiscales, et incarneraient l'engagement politique de l'Église. Il prend assez vite des dispositions contre la congrégation des Assomptionnistes, celle de *la Bonne Presse* et de *La Croix*, qui s'est distinguée par un antisémitisme délirant pendant l'Affaire Dreyfus: elle est dissoute dès janvier 1900. Il fait adopter la loi sur les associations du 1er juillet 1901 qui exige une loi pour l'autorisation d'une congrégation (un décret pour l'ouverture d'un établissement d'enseignement congréganiste) et autorise leur dissolution par décret. C'est le «petit père Combes» qui va se charger d'appliquer ces mesures, avec la plus extrême rigueur: les demandes d'autorisation sont rejetées en bloc (sauf pour les congrégations coloniales, pères blancs et missions africaines). Dès 1902, des milliers d'écoles sont fermées avec, dans certains cas, envoi de la troupe. En 1904, une loi interdit l'enseignement à tous les congréganistes, à quelque congrégation qu'ils appartiennent.

Tout cela ne peut conduire qu'à une dégradation des relations avec le Saint-Siège. La visite du président Loubet au roi d'Italie en avril 1904 met le feu aux poudres. Le pape, Pie X depuis 1903, y voit une grave offense, se considérant toujours prisonnier dans Rome, et adresse une note acerbe à toutes les chancelleries. La Chambre, enflammée par Jaurès, soutient le rappel de l'ambassadeur de France auprès du Saint-Siège (27 mai 1904). La convocation *ad limina* de deux évêques républicains provoque la décision du gouvernement de «mettre fin à des relations officielles qui par la volonté du Saint-Siège se trouvent être sans objet» (30 juillet 1904). C'est la rupture officielle des relations diplomatiques.

La séparation est alors demandée par Jaurès, et les radicaux se rallient à cette idée à l'automne 1904. C'est alors qu'on découvre que le ministère de la Guerre, qui veut accélérer la carrière des officiers républicains, prend ses renseignements sur les attitudes religieuses des uns et des autres auprès des loges maçonniques. «L'Affaire des fiches» provoque une turbulence parlementaire qui contraint le général André (ministre de la Guerre), puis Combes lui-même à démissionner (novembre 1904-janvier 1905). Cela n'empêche pas Combes de léguer le dossier de la séparation à son successeur et, après des débats particulièrement graves, la loi sur la séparation de l'Église et de l'État est votée le 6 décembre 1905.

Plusieurs arguments militaient en faveur d'une solution tranchée et définitive:
– un argument sociologique; les catholiques ne sont plus qu'une minorité (2% seulement des habitants de Seine-et-Marne pratiquent régulièrement);
– un argument politique; il y a collusion entre l'Église et les ennemis de la République, par conséquent la République n'a pas à entretenir ses ennemis;

– un argument idéologique : la séparation accélérera la mort de l'Église.

À l'inverse, les députés catholiques résistent farouchement, et à plusieurs titres. D'abord, Rome n'en veut pas ; ensuite, pareille décision ne peut que diminuer le caractère public de la religion, ce qui est contraire à l'esprit du catholicisme ; enfin, ce ne sera pas une mesure de neutralité, mais de persécution.

Quoi qu'il en soit, la loi votée affirme que la République « ne reconnaît, ne salarie ni ne subventionne aucun culte » et prévoit la constitution d'associations « cultuelles » pour la gestion des biens d'Église. C'est la fin du concordat napoléonien, c'est aussi la fin de l'antique union de l'Église de France et du pouvoir temporel.

Les inventaires qui suivent la séparation dans toutes les églises de France provoquent une crise aiguë en février-mars 1906. Certains catholiques, prétendant qu'on veut ouvrir et donc profaner les tabernacles, appellent à la résistance armée. Des incidents ont lieu à Paris, au début de février 1906. Mais c'est la condamnation pontificale de la séparation par l'encyclique *Vehementer* nos (18 février 1906) qui renforce les troubles. En pays de chrétienté, les inventaires voient des réactions collectives violentes : le sang coule à Monistrol-en-Velay, et il y a mort d'homme à Boeschèpe en Flandre. L'apaisement prévaut alors. Clemenceau, ministre de l'Intérieur en mars 1906, s'y rallie avec sagesse. Le pape ayant refusé la création de cultuelles, le gouvernement, qui ne voulait surtout pas faire de martyrs, rendit l'exercice du culte possible sans cultuelle, et une loi de 1907 vint remplir le vide créé par l'intransigeance pontificale.

→ **Une République laïque**

Le régime ainsi mis en place est le plus laïc du monde. Le gouvernement français ne reconnaît plus le Saint-Siège (jusqu'à l'après-Première Guerre mondiale), ni la hiérarchie ou le personnel ecclésiastique. D'une façon générale, le droit français, comme une grande partie de la société, est désormais devenu indifférent aux questions confessionnelles. Cette laïcité poussée, et féconde à long terme (elle sera l'un des éléments les plus importants du système français d'intégration des immigrés au xxᵉ siècle), représente dans l'immédiat une perte considérable pour les catholiques :

– une perte matérielle, puisque le dernier budget des cultes, celui de 1905, montait à 35 millions de francs-or ; il faudra désormais compter sur la générosité de fidèles de moins en moins nombreux ; se poseront de très gros problèmes d'entretien des bâtiments ;

– une énorme perte symbolique, puisque la religion est devenue une affaire purement privée ; ce n'est plus la religion qui est publique, mais la liberté de conscience et de religion, condamnée par l'Église.

Les évêques, désormais libérés du devoir de ménager les pouvoirs publics, libres aussi de se rencontrer quand bon leur semble, vont en profiter pour relancer la guerre scolaire en anathématisant l'école publique, «perverse, néfaste et diabolique». Cela dit, la plupart des Français acceptent la situation nouvelle : 93 % des églises ont été inventoriées sans troubles, et les législatives de 1906 sont encore plus favorables aux radicaux que celles de 1902.

2. La politique sociale et la politique extérieure

Le reste de l'œuvre politique du bloc des gauches est pourtant assez mince. Les projets de législation sociale, qui tenaient tant à cœur à Millerand, sont vidées de leur substance, telle la loi limitant la journée de travail à 10 h (1900), ou piétinent : la loi sur les retraites ouvrières, votée par les députés en 1902, est bloquée au Sénat et ne sera adoptée définitivement qu'en 1910 ; le projet d'impôt sur le revenu, « impôt au bois dormant », est constamment ajourné.

En politique étrangère, un pas très important est franchi dans les relations franco-britanniques, jusque-là assez mauvaises (l'opinion publique était traditionnellement hostile à la perfide Albion). Delcassé, ministre des Affaires étrangères pendant sept ans, fait du rapprochement de Londres et de Paris une œuvre de longue haleine, malgré les rivalités coloniales (l'incident grave de Fachoda ne date que de 1898) et les mauvaises relations russo-britanniques. Le président de la République française et le roi d'Angleterre Édouard VII échangent des visites en 1903, et 1904 est l'année de «l'entente cordiale» : il s'agit en fait d'un échange de bons procédés coloniaux, la France laissant à l'Angleterre les coudées franches en Égypte, l'Angleterre accordant à la France un soutien diplomatique au Maroc, et les deux puissances se taillant un condominium aux Nouvelles-Hébrides.

D– L'avant-guerre (1905-1914)

1. La menace allemande

À partir de 1905, les relations internationales passent au premier plan. La crise de Tanger, en printemps 1905, fait réapparaître l'opposition irréductible de la France et de l'Allemagne. Dans son discours de Tanger, le Kaiser, qui veut contrecarrer les visées coloniales de la France sur le Maroc, exige que les intérêts allemands y soient protégés. Lors des tractations qui suivent, l'Allemagne obtient le départ du trop habile Delcassé. Mais elle doit concéder une internationalisation de l'affaire et, à la conférence d'Algésiras (janvier-avril 1906), la France, fermement soutenue par la plupart des participants, reprend l'avantage : elle fait reconnaître ses «droits particuliers de maintien de l'ordre» sur le Maroc.

Le coup de Tanger a cependant un énorme retentissement sur l'opinion, en partie parce qu'il est contemporain de l'allègement du service militaire, passé en 1905 de trois à deux ans. On se remet à craindre l'Allemagne. Les thèmes nationalistes se diffusent en dehors même des cercles ligueurs de la fin du siècle. Charles Péguy, jeune écrivain dreyfusard, naguère socialiste, dégoûté des mesquineries du combisme, puise dans la menace allemande des motifs supplémentaires d'aimer et de défendre l'identité spirituelle de la France. En 1911, la deuxième crise marocaine (ou coup d'Agadir) a des effets similaires. Le Kaiser envoie une canonnière au large du Maroc pour obtenir des compensations aux avantages obtenus par les Français au Maroc, et arrache finalement, par des négociations directes avec le président du Conseil français, Joseph Caillaux, 275 000 km^2 en Afrique-Équatoriale française. Les résultats de cette seconde crise sont en janvier 1912, la chute de Caillaux, réputé trop complaisant à l'égard de l'Allemagne, et le retour au service militaire de trois ans («loi des trois ans»), en 1913.

2. Les difficultés intérieures

→ L'instabilité politique

Après les longs ministères du début du siècle (Waldeck-Rousseau, Combes, Rouvier, Clemenceau), la vie politique est regagnée par l'instabilité. Jean Leduc souligne fort justement que la composition des gouvernements reflète mal la majorité électorale. Aux élections de 1906, de 1910, de 1914, la gauche se renforce: le radicalisme constitue toujours la première force électorale; la S.F.I.O. progresse très sensiblement (elle obtient 1,4 M de voix en 1914); la discipline républicaine fonctionne bien. Pourtant, le gouvernement comprend un nombre important de modérés, et sa majorité au Parlement peut même inclure une partie de la droite, ce qui n'est pas sans conséquences en matière diplomatique ou militaire. L'élection du modéré Poincaré à la présidence de la République (1913), avec un programme de renforcement du pouvoir présidentiel et de service militaire de trois ans, va dans le même sens un peu droitier. C'est que la S.F.I.O. mène, après l'échec du Bloc (1905), une politique d'opposition systématique, et que les radicaux, qui se trouvent un peu dépourvus depuis que la Séparation est venue, passent des alliances au centre-droit. L'évolution entamée dans la décennie 1880 s'achève alors, et le radicalisme apparaît clairement comme un centrisme en 1914. Il est sûr que le long passage de Clemenceau à la présidence du Conseil, de 1906 à 1909, n'a pu que contribuer à cette évolution.

→ Les conflits sociaux

La vie politique intérieure est en effet de plus en plus marquée par les conflits sociaux. La C.G.T. lance des appels à la grève générale, en particulier après la catastrophe de Courrières de mars 1906 (un coup de grisou qui fait plus de 1 100 morts parmi les mineurs). Le 1er mai 1906 est annoncé comme l'épreuve de force décisive. C'est alors que Clemenceau se fait une réputation de «briseur de grèves»: il envoie la troupe et fait procéder à de nombreuses arrestations. Les années suivantes, les incidents se poursuivent, et les pouvoirs publics les répriment avec la même sévérité; charge de cavalerie de Draveil en 1908; révocation des postiers en grève en 1909; réquisition des cheminots en 1910 et, la même année, révocation des cheminots grévistes du réseau de l'Ouest, racheté par l'État en 1906. Enfin, en juin 1907, la révolte du Midi viticole contre la mévente et les bas prix s'accompagne de manifestations de masse, d'incendies de bâtiments publics et, pis encore, d'une mutinerie des «braves pioupious du 17e» (régiment d'infanterie envoyé pour la répression). Clemenceau parvient à assurer le retour au calme. Il manœuvre le leader Marcelin Albert (et surtout le discrédite en lui payant son billet de retour), envoie le 17e en Tunisie, fait voter une loi interdisant le sucrage des vins. Habiletés, répression et «mouvements de paix sociale» concourent à affaiblir l'esprit revendicatif après 1909-1910.

La dernière grande question de politique intérieure avant la guerre est l'impôt sur le revenu, auquel s'attache le nom de Caillaux. Celui-ci, grand bourgeois entré tardivement en radicalisme (1912), ministre des Finances de Clemenceau avant 1909, puis de Doumergue en 1913, et entre-temps président du Conseil en 1911-1912, a une ligne de conduite légèrement ambiguë. Il veut l'impôt (que lui refuse le Sénat), mais il veut que cet impôt soit modéré. Une violente campagne du *Figaro*, révélant la duplicité de Caillaux, provoque l'assassinat de Gaston Calmette, directeur du journal, par Mme Caillaux (17 mars 1914). L'impôt sera finalement voté en juillet 1914, mais n'entrera dans les faits qu'en 1917.

3. La déclaration de guerre

Le 28 juin 1914, l'archiduc François-Ferdinand, héritier de la double monarchie austro-hongroise, est assassiné à Sarajevo par un Bosniaque, Gavrilo Prinzip, proche de certains milieux nationalistes serbes. À Paris, la réaction initiale est assez modérée, même si la Serbie est une amie de la France et les Balkans une poudrière inquiétante pour le Quai d'Orsay; les crises marocaines de 1905 et 1911 n'ont-elles pas été surmontées? Les journaux sont bien davantage intéressés par le procès d'Henriette Caillaux, qui s'ouvre le 20 juillet.

La machine infernale est cependant en place, avec l'engrenage des systèmes d'alliance et l'escalade des encouragements à la fermeté. Très vite, les autorités allemandes, convaincues qu'une guerre générale est inévitable à moyen terme et qu'il vaut mieux qu'elle ait lieu tout de suite, font savoir à leur allié austro-hongrois, dont le lent déclin les inquiète, qu'il peut compter sur leur appui militaire pour exécuter militairement la petite Serbie. De ce point de vue, la responsabilité fondamentale est incontestablement du côté de Berlin (les historiens allemands eux-mêmes en conviennent aujourd'hui). Le tsar Nicolas II, qui a été humilié lors des crises balkaniques précédentes (en 1908-1909 et 1911-1913) et sent décliner la crédibilité d'une Russie protectrice naturelle des orthodoxes et des Slaves, accepte d'entendre l'appel de son «cousin» serbe lorsque, le 23 juillet, celui-ci reçoit un ultimatum inacceptable de Vienne. La France est prise dans une logique similaire à l'égard de la Russie : elle ne l'a pas soutenue lors des crises précédentes, il lui est difficile de tergiverser une fois de plus, et Poincaré, en visite officielle à Saint-Pétersbourg fin juillet, n'a sans doute pas poussé le tsar à la modération. La médiation britannique ayant échoué par le refus de l'Allemagne, on se dirige vers une guerre générale.

Le 28 juillet, l'Autriche-Hongrie déclare la guerre à la Serbie. Le 30 juillet, la Russie mobilise. Le 31 juillet, l'Autriche-Hongrie mobilise, l'Allemagne envoie un ultimatum provocateur à la France et la Russie, Jaurès est assassiné. Le 1er août, la France et l'Allemagne mobilisent. Le 3 août, à 18 h 45, l'Allemagne déclare la guerre à la France.

E – Les conditions générales de la vie politique de 1880 à 1914

1. Le suffrage universel et les modes de scrutin

Le suffrage universel s'est imposé comme source unique du pouvoir. Les citoyens français choisissent les députés et les membres des conseils de l'administration locale (conseil général, conseil d'arrondissement, conseil municipal) ; les membres de ces conseils désignent les sénateurs ; les sénateurs et les députés élisent le président de la République ; le président de la République nomme les ministres et, directement ou indirectement, tous les fonctionnaires. On notera que le régime est de démocratie représentative et non de démocratie directe. Il n'y a pas de référendum, ce qui explique la thématique de l'appel au peuple boulangiste et, plus généralement, celle de l'antiparlementarisme (les députés étant censés avoir confisqué à leur profit le pouvoir du citoyen).

Le suffrage universel est soumis à un certain nombre de conditions :
– d'âge (21 ans) ;
– de sexe (le vote est réservé aux hommes) ;
– de fonction ; dans «l'intérêt de la discipline», les militaires ne votent pas et sont inéligibles à la Chambre et au Sénat, à de très rares exceptions près ;
– d'intégrité mentale et de plénitude des droits civiques.

Le vote est facultatif, ce qui n'empêche pas la participation de se situer presque toujours aux environs de 80 % ; l'abstention n'avoisine 30 % qu'aux élections de 1881, où la droite est dans une telle déconfiture qu'elle ne présente pas de candidats partout, et aux élections de 1893, où le ralliement est mal accepté par une partie des électeurs catholiques. Le vote, enfin, est secret, en théorie dès les origines, en pratique seulement à partir des élections de 1914 où sont rendus obligatoires l'enveloppe et l'isoloir.

Pour les élections législatives, le mode de scrutin a fluctué : scrutin uninominal d'arrondissement de 1875 à 1885, scrutin de liste départemental en 1885, puis de nouveau scrutin d'arrondissement après 1889. Au total, l'arrondissement semble avoir triomphé. Ce mode de scrutin est en effet très adapté à l'idéologie dominante : il est à taille humaine ; il fait du député tout à la fois le représentant de la nation (abstraite) et l'émanation d'une communauté (concrète) à laquelle il peut rendre des services personnalisés ; il favorise le centre, susceptible de bénéficier de la « discipline républicaine », au détriment des extrêmes qui sont presque toujours laminés. À l'inverse, ce mode de scrutin pourrait bien être à l'origine du retard de la France en matière de formation des grands partis politiques jusqu'aux années 1900 : les liens locaux priment les grandes machines.

2. Les grandes formations politiques et la géographie électorale

Cela dit, les partis se multiplient après la loi du 1er juillet 1901 sur les associations. Citons :

à gauche, le « Parti républicain radical et radical socialiste » créé en juin 1901 ; le « Parti socialiste, section française de l'Internationale ouvrière » créé en avril 1905 ;

– à droite, l'«Alliance républicaine démocratique» (républicains modérés, mais dreyfusards) créée en 1901 ; la «Fédération républicaine» (les républicains antidreyfusards, plus les catholiques ralliés, plus les anciens des ligues) créée en 1903 ; l'«Action libérale populaire» (catholiques sociaux plus conservateurs) créée en 1902.

À part la S.F.I.O. qui, entre 1905 et 1914, fait un gros effort de réflexion théorique derrière Jaurès, les autres partis restent des nébuleuses aux contours flous, en particulier le parti radical, dont l'aile gauche semble dans l'opposition quand l'aile droite est au gouvernement.

L'instabilité ministérielle est forte, et cela pour plusieurs raisons : la tactique politicienne de certains présidents de la République, qui nomment un président du Conseil dont ils espèrent qu'il échouera ; la pression de l'opinion publique,

115

en particulier celle de la presse lors des «affaires»; le manque de solidité des alliances électorales; l'hésitation constante entre «opposition bipolaire» et «concentration», la question de la participation des radicaux étant toujours tout à fait cruciale.

L'antiparlementarisme est endémique. Il connaît de fortes poussées: au moment des affaires Boulanger et Wilson (1886-1889); au moment de l'affaire de Panama (1892-1894); lorsque les parlementaires, en 1906, se votent en catimini une copieuse augmentation de leur indemnité (de 9 000 à 15 000 F); entre 1908 et 1914, lors de l'affaire Rochette, un financier véreux qui s'était offert pour sa défense les services grassement rémunérés d'un avocat parlementaire. Ses thèmes les plus constants sont l'inutilité et l'inefficacité de la machine politique (par verbalisme, par électoralisme, par instabilité), la confiscation du pouvoir par la classe politique, voire le complot judéo-maçonnique.

La géographie électorale est assez contrastée. Les régions traditionnellement à droite sont:
– la France de l'Ouest, marquée par le catholicisme de la Contre-Réforme, par la grande propriété nobiliaire, par le métayage (facteur d'ignorance et de solidarités verticales), et gardant un souvenir traumatisant de 1793;
– le Sud-Est du Massif central, enclavé, catholique, très antiprotestant;
– les deux extrémités flamande et basco-béarnaise, rurales et très catholiques. Les régions traditionnellement à gauche, et qui soutiennent donc le régime même si elles peuvent en contester la timidité sociale, sont:
– le Sud-Est, à forte tradition de solidarité horizontale et de gestion municipale, passé de la piété baroque au détachement masculin;
– le centre de la France, extrêmement déchristianisé, bien relié à la capitale;
– la plupart des agglomérations ouvrières anciennes.
Évoluent vers la droite:
– les marges de l'Est, par nationalisme de régions frontières;
– Paris, autour du boulangisme, en liaison avec le développement de l'antisémitisme et de l'antiparlementarisme, en raison aussi de son embourgeoisement croissant (les prolétaires vont en banlieue);
– les Alpes-Maritimes, qui connaissent ensuite les effets sociologiques d'un puissant phénomène de riviera.
Évoluent vers la gauche:
– le Sud-Ouest, en situation de stagnation économique, passé du centre droit au bonapartisme, puis du bonapartisme au radicalisme, et, dans certains cas, du radicalisme au socialisme jaurèsien;
– le Nord-Pas-de-Calais, où les concentrations industrielles tournent précocément au socialisme;

-la Seine-et-Oise, département des abords de Paris, qui connaît un phénomène analogue («la banlieue rouge») pour des raisons similaires.

3. Les sensibilités de gauche

➜ Le radicalisme

C'est sans doute la sensibilité politique la plus importante du temps. Il a sa mémoire, sédimentée en générations (génération républicaine de la monarchie de Juillet, génération positiviste de 1860, génération anti-opportuniste de 1880, génération de l'arrivée aux affaires, entre 1895 et 1902), et sa géographie que nous avons déjà évoquée. Il a aussi ses idées et sa psychologie : esprit de libre examen, individualisme poussé, hostilité diffuse à l'État volonté de surveillance des ministres, des députés, des fonctionnaires, refus viscéral de toute forme de tyrannie, attachement à la Révolution française, à la République, à l'École de la République, fidélité enfin aux classes moyennes et à la France profonde, celle des banquets, des bourgs, et des «mares stagnantes» du scrutin d'arrondissement.

➜ Le socialisme

Nous avons déjà évoqué la longue phase d'émiettement qu'a connue le socialisme au XIXᵉ siècle. À la fin du siècle, on distingue :
- le guesdisme (P.O.F., fondé en 1882), marxisme français assez rudimentaire ;
- le blanquisme, socialisme jacobin, anticésariste, anticlérical, antimilitariste, qui se rapproche *in fine* du guesdisme ;
- la social-démocratie, broussiste et allemaniste (les majoritaires de la F.P.T.S.F. en 1882), fondée sur le révisionnisme de Bernstein et le néokantisme de Renouvier.
Pour les broussistes, un certain nombre de prophéties de Marx ne se sont pas réalisées, et il faut donc accepter d'accomplir l'idéal socialiste avec pragmatisme, par morceaux, en misant en particulier sur le terrain municipal. Par ailleurs, l'idéologie révolutionnaire ne saurait excuser n'importe quel manquement à la morale universelle. En 1890, les allemanistes, accusant les broussistes d'oublier la primauté des luttes économiques par obsession électoraliste, font sécession, et fondent le Parti ouvrier socialiste révolutionnaire (P.O.S.R.). L'unité, qui vient finalement en 1905, a été préparée par la formation de la Seconde Internationale (en 1889), dirigée par le Belge Vandervelde. Elle a été favorisée par l'action de quelques socialistes «indépendants» (Millerand, Viviani), et surtout par la personnalité hors du commun de Jean Jaurès, qui martèle la nécessité absolue de l'unité socialiste, seule susceptible d'endiguer les dangers nouveaux qui guettent le monde, à savoir le colonialisme et la guerre.
L'unité s'est concrétisée par une fructueuse stratégie de front commun dès les législatives de 1893 et les municipales de 1896, et par le programme commun

(aux allemanistes près) de Saint-Mandé en 1896. On y exalte le suffrage universel, la progressivité des transformations sociales, la symbiose possible de l'internationalisme et du patriotisme. La marche à l'unité a été cependant ralentie par les divisions relatives à l'Affaire Dreyfus et à l'Affaire Millerand : en 1901, indépendants, broussistes et allemanistes créent le Parti socialiste français (P.S.F.), tandis que guesdistes et blanquistes se regroupent dans le Parti socialiste de France (P.S.D.F.). La véritable unification se fait lors du Congrès de Paris, en juin 1905, par la création du Parti socialiste français, section française de l'Internationale ouvrière. De 1905 à 1914 brille « le beau soleil de l'unité socialiste », facteur de progression militante et électorale.

Cela dit, il y a des dissidents de gauche et de droite. Des indépendants se maintiennent hors S.F.I.O. et exercent des responsabilités gouvernementales (Millerand, Viviani, Briand), y compris dans des gouvernements modérés (Millerand est ministre de la Guerre de Poincaré, en 1912). Le syndicalisme révolutionnaire reste également hors S.F.I.O. : il se méfie de l'État comme il se méfie des réformistes de la S.F.I.O. Son idéal est d'action revendicative, de boycottage, de grève générale (une « gymnastique nécessaire » selon les leaders du syndicalisme révolutionnaire Pelloutier ou Griffuelhes). Au sein même de la S.F.I.O., nombreuses sont les divergences, en particulier entre Jaurès et Guesde : divergences sur l'organisation du parti, sur le rôle de la réforme, sur les rapports avec le syndicalisme, sur les problèmes extérieurs.

En résumé, le socialiste français de l'immédiat avant-guerre se singularise par sa haine de la guerre, sa méfiance à l'égard des pouvoirs publics supposés « de classe », son attente de la socialisation des moyens de production, c'est-à-dire de la révolution (« le grand soir ») qui produira le partage général des richesses.

4. Les sensibilités de droite

La droite, mal à l'aise dans un régime qui est moins neutre que de centre-gauche, reste elle aussi émiettée. Les trois droites d'avant 1870 (légitimisme, orléanisme, bonapartisme) connaissent des évolutions complexes.

→ La droite légitimiste

Elle rassemble une minorité d'irréductibles monarchistes, qu'on retrouve dans l'Action française après 1899, et surtout une grande majorité de ralliés, qu'on retrouve à l'Action libérale populaire après 1902. Les grands noms en sont Albert de Mun, le comte Greffulhe, le marquis de Castellane.

➜ La droite orléaniste

La sensibilité orléaniste est celle qui se glisse le mieux dans le système parlementaire mis en place à la fin de la décennie 1870. Elle se retrouve, au centre droit, chez ceux des progressistes qui ont refusé la «défense républicaine» de Waldeck et qui ont fondé la Fédération républicaine en 1903. On y trouve Méline, Ribot, et un certain nombre de représentants des intérêts économiques. Elle se retrouve aussi, au centre gauche, chez ceux des progressistes qui ont accepté de soutenir la politique de «défense républicaine» par anticléricalisme, et qui ont créé l'Alliance républicaine démocratique en 1901. On y trouve d'importants républicains de gouvernement : Barthou et Poincaré.

➜ La droite bonapartiste

La sensibilité bonapartiste se retrouve dans le nationalisme. Celui-ci s'accompagne en effet d'un fort militarisme, que renforcent la blessure des provinces perdues, le désir de revanche, le culte de l'action. Les ligues sont ici très révélatrices. La Ligue des patriotes a été fondée en 1882, dans un esprit tout à fait républicain, sous le patronage de Victor Hugo, de Gambetta et d'un disciple de Michelet, Henri Martin. C'est Déroulède qui, à partir de 1885, tire la Ligue vers la Revanche, c'est-à-dire vers le culte de la patrie mutilée, de l'armée, de l'homme providentiel. En 1887, la Ligue a de 50 000 à 100 000 adhérents, dont une bonne moitié à Paris, dans la boutique et les faubourgs. La Ligue antisémitique a été fondée sous l'influence de Drumont par le marquis de Morès, un aristocrate aventurier. Son successeur, Jules Guérin, un homme d'affaires qui prétend avoir été ruiné par des juifs, relance le mouvement grâce à une subvention des royalistes (1899) ; il recrute dans un milieu très populaire et très localisé (Paris et la Lorraine). La Ligue de la patrie française, fondée en décembre 1898 par Jules Lemaitre a, elle, une sociologie beaucoup plus select que la Ligue des patriotes puisqu'on y trouve des académiciens et des notables. Elle affiche des ambitions électorales en 1902, mais sans grand succès ; des difficultés d'organisation et un scandale de trésorerie provoquent son effondrement.

Après 1899, *l'Action française* synthétise l'idéal légitimiste et une partie du bonapartisme. C'est d'abord un périodique à couverture grise, créé le 20 juin 1899 par Henri Vaugeois et Maurice Pujo, dans le contexte de l'épisode Henry de l'Affaire Dreyfus (s'y exprime la thèse du «faux patriotique»). L'entreprise réussit. Le périodique devient quotidien en 1908. L'idéologie de *l'Action française* est un mélange de nationalisme intégral antidémocratique et de royalisme rénové, c'est-à-dire intellectuel et institutionnel plus qu'affectif et personnel. Le nationalisme explique le style violent et l'activisme de rue. Le royalisme explique, lui, l'intransigeance doctrinale absolue, l'attachement à l'Ancien Régime, le recrutement social étroit.

F – La France coloniale

Les préventions contre le colonialisme, fortes, on l'a vu, dans la décennie 1880, tendent à reculer avec le temps.

1. Le retour aux idées coloniales

Les militaires font valoir plusieurs arguments. Alliée de la Russie, la France n'est plus aussi isolée qu'en 1885 et peut, sans risques, envisager des actions militaires lointaines. Par ailleurs, l'infériorité numérique de l'armée française pourrait bien être compensée, en cas de guerre européenne, par le recours à des «supplétifs coloniaux». La perspective se renverse donc, et la conquête coloniale, de péril gratuit, devient précaution estimable. Enfin, le service de la «coloniale» est valorisé par un certain nombre d'officiers, qui y voient une école d'énergie virile et le lieu d'épanouissement du «rôle social de l'officier».

Le parti colonial, toujours entraîné par Eugène Étienne (plusieurs fois ministre), se renforce donc. C'est une mouvance, plus qu'un parti, fédérant de multiples groupes de pression, où l'on trouve des négociants, des hommes politiques de tous bords (de la droite aux radicaux, désormais conquis), les membres, nombreux et actifs, des sociétés de géographie. Les socialistes restent en dehors du mouvement, mais ils ne condamnent pas la colonisation en tant que telle, considérant qu'elle peut apporter la civilisation et les Lumières à des peuples qui croupissent dans l'ignorance et la barbarie. C'est surtout à partir de 1905 qu'ils dénoncent aussi les risques de guerre générale liés aux rivalités coloniales. Enfin, beaucoup de catholiques voient dans la politique coloniale une manière de réintégrer la communauté nationale. Paradoxalement, en effet, les missionnaires constituent, dans la République radicale, la seule part de l'Église qui soit officiellement protégée.

Ainsi comprend-on mieux l'expansion de la France dans le monde, expansion soutenue par la création de l'École coloniale, destinée à former des administrateurs (1889), et d'un ministère (à part entière) des Colonies (1894). En 1914, l'empire outre-mer met la France au second rang des puissances coloniales, loin devant l'Allemagne.

2. Les territoires

Les années 1881-1885 avaient vu l'installation du protectorat sur la Tunisie et l'Annam indochinois. Les années 1890 voient, malgré l'échec humiliant de Fachoda en 1898, la conquête de l'Afrique noire: en 1896, Madagascar est annexé; en 1900, la jonction est faite sur le lac Tchad des trois expéditions parties d'Algérie, du Niger et du Congo. Les années 1900-1914 correspondent à la conquête du Sahara et du Maroc. Tous ces territoires, quel que soit leur statut officiel, subissent un renforcement de la présence française. En effet, même si deux théories s'affrontent, celle de l'assimilation et celle du protectorat, la pratique voit la multiplication des ingérences françaises, qu'elles soient administratives ou douanières (tarif Méline de 1892), dans les protectorats eux-mêmes (Tunisie, Annam). Cela dit, l'administration civile est peu nombreuse, concentrée dans quelques grandes villes, la « brousse », la « jungle », le « désert » étant partout répulsifs.

3. Bilan de la colonisation française

Quel bilan dresser de la colonisation française en 1914? Il est clair qu'il faut nuancer selon les espaces.

L'Algérie, où plus de 4 millions d'indigènes sont dominés par 700 000 Européens, a été mise en coupe réglée : les autochtones ont perdu 4 millions d'hectares, et l'économie rurale a été complètement perturbée (plantation de vignes, recul de l'élevage extensif); la scolarisation primaire ne touche que 5 % des enfants; si les juifs ont acquis la citoyenneté pleine et entière par le décret Crémieux de 1870, les musulmans ont un statut personnel subalterne, défini depuis 1881 par le code de l'indigénat.

La Tunisie, l'Indochine, Madagascar ont vu se multiplier les plantations sur des terres achetées ou confisquées (la Tunisie fournit ainsi du vin et de l'huile, l'Indochine du riz et du poivre, un peu de caoutchouc aussi, Madagascar du café et de la vanille), et les exploitations minières (phosphates de Tunisie, charbon et métaux d'Indochine). La scolarisation y est meilleure qu'en Algérie.

L'Afrique noire (A.O.F., A.É.F.) connaît un régime de traite à l'ancienne. Des sociétés françaises, soutenues par des trafiquants de tout poil, échangent cotonnades, armes et pacotille contre de l'huile, du bois précieux et du latex. L'effort de mise en valeur et de scolarisation y est alors à peu près nul.

Des protestations commencent à se faire entendre. Elles concernent surtout l'Algérie, où le mouvement des Jeunes Algériens réclame la suppression de l'indigénat, mais aussi la Tunisie (mouvement Jeune Tunisien; manifestations de novembre 1911), l'Indochine (manifestations antifiscales de 1908-1909, attentats de la Ligue pour la restauration du Viêt-nam en 1912).

Économie et société de la fin des années 1870 à 1914

A — L'économie : stagnation et renouveau

Les difficultés économiques apparues à la fin du Second Empire et renforcées dans la décennie 1870 persistent jusqu'à la fin du siècle, voire, selon certains, jusqu'aux premières années du xxᵉ siècle. Le taux de croissance, qui était de l'ordre de 1,3 % en moyenne entre 1820 et 1865, est passé aux environs de 0,6 % entre 1865 et 1895 ; il est même inférieur à 0,6 % dans la décennie 1880. La mauvaise passe de la fin du siècle est ainsi beaucoup plus marquée en France que dans les autres grands pays industriels.

On peut citer plusieurs indices de cette gravité spécifique :
– Angleterre, Allemagne, États-Unis ont retrouvé leurs taux d'investissement d'avant 1873 dès 1890, alors que la France a dû attendre 1906 ;
– le recrutement et la formation des cadres a subi un creux (baisse des effectifs de l'École centrale), au moment où les cohortes d'ingénieurs allemands se sont gonflées ;
– la main-d'œuvre en surnombre a dû se diriger vers de nouveaux secteurs et en particulier l'administration (où 500 000 emplois nouveaux ont été créés à la fin du siècle), ce qui, en renforçant des secteurs dont la contribution au produit national est faible, a réduit la productivité globale de l'économie.

C'est alors que la France a raté un certain nombre d'occasions qu'elle n'a jamais retrouvées. Elle a laissé passer la chance d'une grande position dans le commerce international, alors que cette perspective semblait raisonnablement envisageable vers 1860 : en 1865, la France intervenait pour un sixième des ventes mondiales ; en 1914, sa part de marché est passée à un seizième. La supériorité allemande est spectaculaire.

Tout cela explique d'ailleurs le retour au protectionnisme : lois de 1885-1887, tarif Méline de 1892. Le tarif Méline prévoit un tarif général de 15 à 30 % appliqué à tous les États, et un tarif minimum de 12 à 20 % appliqué aux pays avec lesquels est passé un traité de commerce (en 1897, échelle mobile sur les produits agricoles; en 1910, relèvement des droits les plus bas). Or, ce rétablissement du protectionnisme a pour effet, à court terme, de préserver l'agriculture des régions attardées, et, à plus long terme, d'imposer à l'industrie de nouvelles contraintes qui contribuent à lui faire perdre une partie de ses débouchés à l'étranger.

1. Les causes de la stagnation économique

Plusieurs hypothèses peuvent être avancées pour expliquer ce déclin relatif.

Les industriels français n'ont pas su apprécier les nouvelles tendances du marché mondial et sont restés fidèles aux qualités d'usage et de solidité, alors que, dans des sociétés de plus en plus urbaines, on pouvait faire de gros profits avec des productions de qualité moyenne ou inférieure régulièrement renouvelées par la mode.

L'État de la IIIᵉ République coûte relativement plus cher que celui du Second Empire. Les dépenses publiques passent de 10 à 15 % du PIB entre 1855-1870 et 1895-1910, et les dépenses non liées restent globalement importantes, même si elles passent derrière les dépenses liées (colonies, éducation, travaux publics).

➔ L'intervention de l'État

L'État peut en effet stimuler l'activité dans des secteurs qui ne sont pas très intéressants. Le meilleur exemple est ici le plan Freycinet, lancé en 1879, qui visait à lutter contre la dépression en améliorant le réseau des voies de communication; il fut interrompu par la crise bancaire de 1882. Ses résultats furent mitigés. En matière de canaux, il y eut éparpillement des projets et dispersion inefficace des crédits. En matière ferroviaire, une ambition délirante aboutit à la réalisation de lignes secondaires dans des régions qui perdaient de plus en plus d'habitants et ne pouvaient enrichir les compagnies dont les bénéfices diminuèrent. Le pays est « suréquipé » (François Caron), mais on pourrait dire tout aussi justement qu'il n'est pas très bien équipé.

En matière économique, si la pratique de la IIIᵉ République est assez libérale après l'échec du plan Freycinet, les valeurs du personnel politique démocratisé sont plus proches du petit propriétaire ou du petit entrepreneur que du grand capitaliste, plus favorables à une certaine dispersion qu'à la concentration.

➔ La dépression agricole

La dépression agricole se poursuit et s'aggrave. La crise est endémique dans les régions viticoles qui sont cependant, de par leur tradition de démocratie rurale, de solides soutiens du nouveau régime. Le phylloxéra a atteint son maximum de virulence entre 1875 et 1879, et la lutte contre ce puceron est difficile. Une fois le vignoble reconstitué, il y a mévente : les rendements sont accrus, la qualité stagne. Les concurrences étrangères se font sentir : concurrence des laines de l'hémisphère Sud, concurrence de la soie brute asiatique, concurrence des bois scandinaves. Les cours chutent. Le capital foncier se dévalue d'environ 25 % entre 1882 et 1912 ; la terre cesse d'être un placement recherché. La demande rurale de produits industriels diminue. L'exode rural se poursuit. L'activité industrielle à la fin du XIXᵉ siècle est cependant trop médiocre pour générer, à l'allemande, de grands flux de main-d'œuvre rurale en direction des villes.

→ La démographie

Elle est peu dynamique. Entre 1861 et 1911, la France gagne à peine plus de 2 millions d'habitants (elle en compte 39,6 millions en 1911), alors que l'Empire allemand en a gagné 25 ! La France, qui était au début du XVIIIᵉ siècle le pays le plus peuplé d'Europe et qui, au début du XIXᵉ siècle, n'était dépassée que par la Russie, est en 1914 dépassée par la Russie, l'Allemagne, l'Autriche-Hongrie et le Royaume-Uni. Elle devient, avec l'Espagne, le pays le moins densément peuplé d'Europe occidentale.

La natalité recule à nouveau : le taux passe de 26,2 ‰ en 1872-1875, à 18,8 ‰ en 1911-1913. C'est que le contrôle des naissances se renforce assez largement, favorisé par la déprise religieuse, l'individualisme républicain, les progrès de l'esprit de calcul et de prévoyance, et, marginalement, la propagande néo-malthusienne délibérée, d'inspiration anarchisante (Ligue de la régénération humaine de Paul Robin, 1896). En 1914, la famille modèle est celle que nous montrent tant de photographies : le père, la mère et les deux enfants.

La mortalité, longtemps stationnaire, ne diminue sensiblement qu'à partir du tournant du siècle. Cette amélioration finale est très largement due à la révolution pastorienne : les vaccins se multiplient et les médecins savent désormais enrayer les pathologies les plus fréquentes, qu'elles soient pulmonaires, digestives ou infantiles.

Malgré tout, le vieillissement démographique est évident. Le nombre des inactifs s'accroît par rapport à celui des actifs, qui reste stable. L'appel à la main-d'œuvre immigrée est rendu nécessaire : il y avait en France 1 % d'étrangers en 1851, il y en a 3 % en 1911, pour l'essentiel des Européens, Belges, Italiens et Espagnols peu qualifiés, Allemands. Sa démographie donne à la France un marché intérieur étriqué et contribue à rendre l'appareil productif plus routinier et plus rigide.

2. Les réactions des acteurs économiques

La stagnation prend des formes variées. Les commandes régressent. Le bâtiment connaît un creux entre le début des années 1880 et la décennie 1900. Les profits fléchissent sensiblement (les prix diminuent, les salaires augmentent, sous l'effet de la démographie et du syndicalisme) et, fort logiquement, les dividendes reculent. L'entreprise de modernisation commerciale, qui s'esquissait dans les grandes villes au temps du Second Empire, marque le pas : la publicité plafonne, au moins dans la presse ; il n'y a pas de nouveau grand magasin à Paris entre 1870 et 1895.

Les différents secteurs économiques connaissent des évolutions particulières. Le textile s'essouffle à partir de la fin des années 1870. La métallurgie manifeste des insuffisances générales que ne sauraient masquer les grandioses réalisations de «l'âge du fer» (Tour Eiffel, 1889), le handicap charbonnier restant très sensible. La production de minerai de fer quintuple entre 1895 et 1913 grâce au procédé Thomas-Gilchrist qui permet d'utiliser le minerai lorrain, mais la moitié de ce fer est exporté brut, surtout vers l'Allemagne. La production française d'acier ne représente en 1914 que 7 % de la production mondiale (Grande-Bretagne 17 % ; Allemagne 22 % ; États-Unis 40 %). La chimie connaît un irrémédiable déclin : pour les colorants, les explosifs, les produits pharmaceutiques, la France ne couvre que la moitié de ses besoins, et ses usines sont souvent contrôlées par des capitaux allemands ou suisses.

Le secteur bancaire connaît un traumatisme avec le krach de l'Union générale (1882), une banque catholique par actions créée en 1878, dirigée par Eugène Bontoux, soutenue par plusieurs leaders conservateurs, et dont les titres avaient connu un grand succès populaire entre 1878 et 1881 avant que leur cours ne s'effondre brutalement en 1882. Le krach provoque l'arrestation de Bontoux, ruine un grand nombre de petits porteurs, et alimente l'antisémitisme économique. D'une façon générale, les profits bancaires connaissent un recul très sensible à la fin du siècle.

Cela dit, cette stagnation s'accompagne, dès les années 1880, d'un phénomène d'adaptation silencieuse de certains secteurs. Les industriels en difficulté sont en effet amenés à rechercher des gains de productivité : la hausse des salaires stimule l'investissement technologique, mais contribue aussi au renforcement de la discipline industrielle. Les banques tirent les leçons des krachs et se spécialisent : entre 1880 et 1900, les banques de dépôts se distinguent des banques d'affaires. Les banques d'affaires s'intéressent aux emprunts d'État et aux innovations industrielles au fur et à mesure de leur développement, jouant un rôle important dans l'essor des secteurs modernes après 1900 (électricité, chimie, caoutchouc, pétrole).

3. La reprise

La conjoncture change vers 1900. Le renversement est difficile à dater avec préci-sion. L'année 1896 voit le retournement de la tendance des prix, désormais à la hausse, mais les années 1901-1904 sont occupées par une assez importante crise cyclique internationale, liée à la guerre des Boers. L'accélération de la croissance industrielle est surtout sensible à partir de 1906. On peut dire que l'économie française entre alors dans le XXᵉ siècle. Rompant avec la léthargie du dernier tiers du XIXᵉ siècle, la Belle Époque annonce en effet les « années folles » : de nouveaux secteurs de pointe se dessinent (l'automobile), l'inflation apparaît, les tensions sociales se renforcent.

→ Les facteurs de reprise

D'abord, le contexte technique met en valeur l'inventivité française. La seconde révolution industrielle est assez favorable à la France. Elle n'a pas de pétrole, mais les autres puissances européennes n'en ont pas davantage ; elle dispose même de quelques atouts géographiques en matière d'hydroélectricité. Surtout, ses struc-tures fondamentales, semi-artisanales, sont bien adaptées à des secteurs neufs nécessitant de longs tâtonnements technologiques, et dont le meilleur exemple est l'industrie automobile. Par ailleurs, la politique républicaine en faveur de l'enseignement supérieur commence à porter ses fruits. La recherche française est de bonne qualité. Les écoles d'ingénieurs et les instituts universitaires d'élec-tricité ou de chimie se multiplient (Nancy, Grenoble, Toulouse, Paris) ; le nombre d'ingénieurs s'accroît sensiblement. Cela dit, le modèle allemand n'est pas égalé et les laboratoires d'entreprise restent très rares.

Deuxième facteur de croissance, international cette fois, le gonflement de la masse monétaire, d'ailleurs générateur d'inflation (1,7 % par an). En France, cette inflation efface la baisse des prix dans le long terme du XIXᵉ siècle et provoque un arrêt de la croissance des salaires réels. L'activité bancaire est forte : le Crédit lyonnais est la première banque du monde. Les grandes banques financent au moins la moitié des besoins à court terme des grandes entreprises industrielles et commerciales. Les banques locales elles-mêmes retrouvent une forte activité. Car la croissance industrielle est de type beaucoup plus capitalistique que dans toutes les périodes précédentes ; les entrepreneurs sont désormais tout à fait conscients que la productivité augmente en fonction des investissements ; les émissions d'actions sont de plus en plus importantes ; les profits s'accroissent fortement entre 1906 et 1913.

Troisième facteur de croissance : le dynamisme des échanges mondiaux. Ce ren-forcement paradoxal des échanges (la période correspond à un retour général au protectionnisme) est partiellement lié à la montée en puissance des politiques militaires et coloniales.

Un mot ici du poids des colonies françaises dans les échanges nationaux. Dès 1896, l'Empire dispute à l'Allemagne la place de deuxième partenaire commercial de la France, derrière la Grande-Bretagne. À la Belle Époque, le commerce colonial s'accroît plus vite que l'ensemble du commerce extérieur français. C'est que les colonies françaises offrent un élément compensateur dans les mauvaises passes, un débouché stable auquel sont particulièrement sensibles tous les industriels métropolitains des secteurs médiocres, des approvisionnements importants pour l'industrie des corps gras, l'industrie sucrière, l'industrie des superphosphates. Cela dit, manquent certaines matières premières indispensables, comme la laine, la soie, et le charbon.

Pour le reste, le commerce extérieur français redémarre. S'il est presque constamment déficitaire, son volume s'accroît. La France importe certes de plus en plus de machines (machines-outils américaines, allemandes ou britanniques), mais elle exporte aussi de plus en plus d'automobiles et de produits industriels. Le déficit commercial est compensé (et même au-delà) par les somptueux excédents de la balance des paiements. La France dégage un excédent touristique qui est loin d'être négligeable (il est passé de 300 millions vers 1895 à 600 millions en 1913). Surtout, elle bénéficie des revenus des capitaux placés à l'étranger. La France est, en effet, la seconde puissance financière du monde derrière la Grande-Bretagne : 23 % des capitaux étrangers investis dans le monde sont français, et les intérêts de ces capitaux montent à 1,5 milliard en 1913. C'est cela qui permet de parler de capitalisme rentier : les investisseurs potentiels savent que le rapport des valeurs étrangères est supérieur à celui des valeurs françaises.

Une polémique du temps (Lysis contre Testis, 1910) pose la question de l'effet intérieur de ces exportations massives de capitaux. Certains prétendent qu'elles ruineraient la France en orientant l'épargne vers l'étranger ; c'est faux : ces investissements assurent d'énormes revenus à la France de la Belle Époque. D'autres considèrent que les investissements extérieurs français seraient bons pour le commerce extérieur français ; c'est tout aussi faux : les investissements français sont sans grande retombée commerciale, comme l'atteste l'exemple russe.

➜ Les performances techniques

Quoi qu'il en soit, la France réalise de belles performances dans la seconde révolution industrielle. L'électricité est largement une invention française, qui offre l'avantage d'une utilisation beaucoup plus dispersée que celle de la vapeur. Cela dit, la production française reste limitée (3 milliards de kWh en 1913), car le pays est trop rural pour que les industriels de la production électrique puissent se risquer à un accroissement important de l'offre, et l'électrification du territoire est contrastée.

Autre secteur clé de la Belle Époque : le moteur à explosion. Inventé par les Allemands Daimler et Benz, il est miniaturisé par les Français de Dion et Bouton. Il anime deux industries neuves : l'industrie automobile et l'industrie aéronautique. La France est premier producteur mondial d'automobiles jusqu'en 1904, date à laquelle elle est dépassée par les États-Unis, mais elle reste, jusqu'à la guerre, le premier exportateur mondial, dans une concurrence de plus en plus âpre. Renault va même jusqu'à ouvrir deux usines en Russie en 1914. L'automobile est alors un produit de semi-luxe, cher, mais popularisé par des salons et des compétitions.

L'aéronautique adopte le moteur à explosion en 1906 (Santos-Dumont). Dès lors, les exploits se multiplient : Blériot traverse la Manche en 1909, Roland Garros la Méditerranée en 1913. En 1912, on commence à construire des avions militaires. Avec 238 appareils, la France possède en 1914 la première flotte aérienne. Ces développements d'industries utilisatrices du moteur à explosion expliquent le développement de l'industrie du caoutchouc (Michelin), appuyée sur la colonisation de l'Indochine.

On n'oubliera pas non plus l'industrie du cycle, qui s'est développée à partir des années 1880. La France est de loin au premier rang mondial en 1914 (Peugeot), et il y circule plusieurs millions de bicyclettes, la petite reine commençant alors à se démocratiser par le biais du marché d'occasion.

La seconde révolution industrielle fait même sentir ses effets sur les secteurs de la première. L'hydro-électricité a eu des effets en grappe sur plusieurs secteurs traditionnels : mécanique, chaudronnerie, bâtiment. L'automobile a relancé l'activité dans le secteur des métaux. D'une façon générale, la Belle Époque voit un nouveau départ de la métallurgie. Sous l'effet des industries nouvelles, puis des commandes d'armement (après 1911), l'acier connaît un véritable boom : le taux de croissance de la sidérurgie, qui était de l'ordre de 3 % dans la décennie 1893-1903, passe à 6 % dans la décennie 1903-1913.

→ **Les types d'entreprises**

Les types d'entreprises restent très divers. L'enquête de 1906 prouve une progression des entreprises moyennes et grandes. Elle souligne que les entreprises produisant des biens de consommation l'emportent toujours très nettement sur celles qui produisent des biens de production, et qu'elles sont peu concentrées.

Le secteur qui offre la palette la plus variée est celui des machines. Quelques grosses entreprises commencent à émerger, mais ce sont les entreprises moyennes qui dominent le paysage : la France de 1913 compte 94 producteurs d'aéroplanes,

155 producteurs d'automobiles, 300 producteurs de bicyclettes, 500 producteurs de machines agricoles. Autour d'elles, on trouve une poussière de sous-traitants. Doit-on en conclure que l'industrie française, peu concentrée, est peu productive? Non, les trois quarts de la population active industrielle travaillent dans des branches où la productivité est au moins aussi élevée qu'en Grande-Bretagne. On peut d'ailleurs penser, avec François Caron, que « la survie de la petite entreprise est plus un signe de vitalité que d'archaïsme ».

→ **L'agriculture**

L'agriculture elle-même commence à s'adapter. Un ministère de l'Agriculture est créé en 1881 (ministère Gambetta). Les paysans français cherchent à développer l'élevage, s'efforcent d'accroître la productivité par un usage accru des engrais, par une sélection plus vigilante des espèces végétales et par une amélioration de l'outillage de base. L'activité associative se renforce sensiblement: création de syndicats, de coopératives de production ou d'achat, apparition des caisses régionales de crédit agricole en 1899, apparition d'importants mouvements sociaux.

Dans le domaine de l'agriculture, les disparités régionales restent très fortes. Trois régions, très différentes l'une de l'autre, connaissent des progrès marqués: la Bretagne, le Nord, le Sud-Est méditerranéen. La Bretagne surpeuplée, impénétrable à la contraception, est le type même du pays qui doit tout à une intensification du travail humain (pour l'essentiel, à l'intérieur de la famille), dans le cadre d'exploitations moyennes et petites, et dans un système de polyculture et de polyélevage; même les pêcheurs cultivent les petits pois quand ils sont à terre. Le Nord doit ses progrès, au contraire, à une mécanisation du travail (il compte le quart du parc national de faucheuses et de moissonneuses), dans le cadre de grandes exploitations, avec une tendance à la monoculture, qui l'apparente au Bassin parisien, toujours prospère et mécanisé. Après bien des tribulations à la fin du xixᵉ siècle, l'agriculture méditerranéenne bénéficie, pour sa part, de spécialisations gratifiantes (fruits, légumes, fleurs), dont la distribution est favorisée par le chemin de fer (la prospérité du Vaucluse doit beaucoup au PLM).

Deux régions, à l'inverse, sont en situation dépressionnaire marquée vers 1900. Le Sud-Ouest, du fait de l'exode rural et du malthusianisme, manque d'hommes; on y a aussi plus tendance qu'ailleurs à manger le capital; preuve a contrario que la polyculture ne peut survivre qu'avec abondance de main-d'œuvre et esprit combatif. Le Massif central demeure, lui, relativement enclavé, et la petite exploitation limousine ou auvergnate ne peut guère se moderniser.

Au total, le monde rural a reculé dans l'ensemble de l'économie française. L'agriculture fournissait 73 % du PNB en 1810, et n'en fournit plus que 40 %

en 1910. Par ailleurs, les campagnes se sont lentement désindustrialisées dès le milieu du XIXe siècle, plus fortement lors de la crise de la fin du siècle.
Enfin, la comparaison avec les autres pays européens est défavorable à la France. Même en progrès, les rendements français sont inférieurs d'un tiers aux rendements allemands (14 quintaux à l'hectare contre 21); en 1908, 84 % des exploitations françaises sont inférieures à 10 ha, et ces micro-exploitations ne sont viables que grâce à une intensification du travail.

B – La société en retard sur le régime

La société française est en retard sur le régime. La démocratie politique ne s'accompagne pas en effet d'une véritable démocratisation de la société. Les écarts de revenus et de fortune, qui sont très importants, ne diminuent guère entre 1880 et 1914. Par ailleurs, la promotion sociale est limitée par le maintien d'un système scolaire à deux filières parallèles: la filière des élites et de la fraction supérieure des classes moyennes (lycée et faculté), et la filière du peuple et de la fraction inférieure des classes moyennes (école primaire et, éventuellement, école primaire supérieure).

1. La situation des élites

Les élites traditionnelles sont dans une situation difficile. La noblesse a perdu, avec la crise agricole de la fin du siècle, une grande partie de ses revenus et de son pouvoir économique. Elle a perdu, avec le passage à la République, une grande part de son influence sur l'administration et, partant, de son rôle de patronage social. Certes, il est des régions (les marges armoricaines) où elle résiste bien et parvient même à faire vivre une sorte de contre-société, en s'appuyant sur l'Église et l'hostilité populaire au nouveau régime.
D'une façon générale, cependant, les élites sont en voie de déruralisation. La part des propriétés diminue dans toutes les successions bourgeoises ou nobles au profit des valeurs mobilières. Les bourgeois ruraux, que nous évoquions dans notre première partie, quittent alors la campagne pour la ville, et l'oisiveté rentière pour une profession libérale ou un poste de fonctionnaire. L'aristocratie foncière elle-même vend certaines de ses terres et pousse ses fils vers les conseils d'administration, qui assurent des revenus confortables, et les carrières de la diplomatie ou de l'armée, qui permettent de survivre tout en servant la France plus que le régime.
Si la noblesse donne ainsi le ton à toute une bourgeoisie conservatrice, elle ne s'unit à elle qu'avec d'infinies précautions, en continuant à pratiquer ce que les sociologues appellent «l'hypergamie des filles»: les jeunes filles nobles épousent généralement des nobles pour garder leur qualité de naissance, tandis que leurs

frères peuvent épouser de très riches roturières auxquelles ils transmettent leur noblesse.

Si la bourgeoisie (approximativement définie comme l'ensemble des ménages qui bénéficient de plus de 5 000 F de revenu par an, soit 5 % de la population française) reste fort variée par ses origines, ses fonctions, ses orientations idéologiques, l'évolution économique fait que le patronat y tient de plus en plus le premier rôle.

C'est dans le patronat que l'on trouve les plus grosses fortunes, et les plus rapidement acquises. Cela dit, s'il y a quelques *self made men* dans les secteurs neufs de la seconde révolution industrielle, ils ne sont qu'une petite minorité dans l'ensemble du patronat. Le coût élevé des premiers investissements (surtout dans les secteurs modernes), et le caractère hypersélectif des formations techniques et scientifiques (de plus en plus de patrons sont diplômés) en font un milieu très fermé. L'idéal patronal reste globalement paternaliste, sous l'influence du catholicisme social : la concession d'avantages matériels aux ouvriers peut être un moyen de désamorcer la lutte des classes et l'intervention de l'État.

La bourgeoisie universitaire reste, elle, sur son quant-à-soi. Les professeurs de faculté parisiens (à l'exception des professeurs de médecine, très mondains) ne se mêlent guère aux autres élites (dont ils sont loin d'avoir le capital économique), vivent et travaillent au Quartier Latin, marient leurs filles à des normaliens prometteurs, ont des loisirs familiaux de lecture ou de musique de chambre. Cela ne les empêche pas de participer aux grands débats de la cité ; on le voit bien pendant l'Affaire Dreyfus. Ils ont une place originale par rapport aux autres élites, qui utilisent désormais le concept d'« intellectuels » pour désigner – et dénigrer – ces inclassables, finalement assez proches des classes moyennes.

2. Les classes moyennes

Les classes moyennes, très importantes pour le régime qui prétend s'appuyer sur les « couches nouvelles », se définissent négativement. On y trouve tous ceux qui ne sont ni des notables, ni des paysans, ni des ouvriers, ni des domestiques : soit les petits commerçants et petits artisans, les petits fonctionnaires, les membres des professions libérales, toutes catégories qui ne veulent pas être du peuple tout en en sortant, et sont très soucieuses de respectabilité. Cet univers, travaillé par le sentiment de sa précarité et la peur de la déchéance, offre le spectacle d'une réelle hétérogénéité statutaire et culturelle, qui explique sa variabilité politique. On y trouve des boutiquiers durs à la peine et quelques diplômés de l'enseignement supérieur, une majorité en voie d'ascension sociale et une minorité sur le déclin, la famille de Léon Blum et celle de Louis-Ferdinand Céline.

→ Les professions libérales

Les membres des professions libérales sont en situation plutôt favorable, étant donné à la fois le caractère libéral du régime et leur haut niveau d'instruction. Du reste, 32 % des députés et 47 % des ministres sont hommes de loi, et les grands médecins incarnent encore davantage que les juristes les valeurs optimistes qui fondent le régime : « médecins des plus pauvres à l'hôpital, des plus riches à la ville, conseillers des administrations ou du législateur, ils incarnent les vertus de la science, de la méritocratie républicaine et d'une société en marche vers le progrès » (C. Charle). Cela dit, les professions libérales sont tellement attractives, en particulier le barreau ou le journalisme, qu'on peut parler d'un encombrement de ces carrières, surtout à Paris. D'ailleurs, après 1900, les efforts de fermeture corporatiste se multiplient.

→ La fonction publique

La fonction publique connaît un gonflement considérable, qui correspond à l'élargissement du champ des missions d'État. À la Belle Époque, la France compte plus de 120 000 enseignants, près de 70 000 postiers, à peu près autant de fonctionnaires des finances, sans compter les magistrats et les militaires. Ce petit monde connaît des tensions particulièrement fortes, car il est censé incarner l'État républicain, et est pourtant géré d'une manière très autoritaire, d'inspiration largement napoléonienne.

Les instituteurs, même si leurs amicales ont parfois une coloration syndicale, sont assez peu contestataires. Il faut dire qu'ils ont le sentiment de devoir à la bienveillance de l'État leur indépendance à l'égard des pouvoirs locaux et des parents d'élèves, et leur intégration (en 1889) dans l'univers envié des petits fonctionnaires. Issus du peuple mais en voie d'ascension sociale, ils constituent le type professionnel le plus consubstantiellement lié à l'idée française de République. Cela n'allège guère les difficultés du métier, notamment pour les femmes : isolement des débuts dans les écoles de hameau, hostilité des populations catholiques, faiblesse des traitements qui oblige à faire des prodiges d'économie.

Les professeurs de lycée sont très loin d'eux et les méprisent. L'enseignement secondaire n'ayant pas changé d'échelle, ils ne sont que quelques milliers quand les instituteurs sont plus de 100 000. Les professeurs sont tous passés par l'enseignement supérieur, alors que la plupart des instituteurs ne sont pas passés par l'enseignement secondaire. Les origines des professeurs sont dans les classes moyennes, beaucoup plus que dans les classes populaires. Leur traitement, de licencié ou d'agrégé, est de l'ordre du triple de celui d'un maître d'école.

➜ **Les employés**

Les employés sont une catégorie numériquement limitée, mais en plein essor. Ils sont les fils de la révolution économique du milieu du XIXᵉ siècle, et se sont multipliés avec la révolution ferroviaire, les banques à succursales, les grands magasins ; ils sont particulièrement nombreux à Paris (plus de 300 000 en 1911). C'est, pour les contemporains, une catégorie originale. Alors que, jusque-là, les salariés du commerce étaient des sortes de domestiques, on a, à la fin du XIXᵉ siècle des salariés qui, bénéficiant du caractère abstrait de leur employeur (une grande société, une compagnie ferroviaire) et de la possibilité théorique de faire carrière (le milieu des employés est très hiérarchisé), vont viser à se rapprocher le plus possible des fonctionnaires et à être tenus pour « des gens comme il faut », des « cols blancs ».

3. Les catégories populaires

Les catégories populaires (le mot « peuple » est encore d'un usage très courant en 1914) continuent de constituer l'essentiel de la société française.

➜ **La population rurale**

La paysannerie française réussit assez bien à préserver ses intérêts dans le cadre du nouveau régime. C'est que l'importance numérique de la population rurale (56 % de la population française encore en 1914) fait son importance politique. Il n'y a pas de majorité possible sans les paysans, pas de République possible sans paysans républicains. Ainsi s'explique que, mieux qu'ailleurs, la société paysanne ait globalement résisté à l'attraction urbaine, avec le soutien de l'État ; le tarif Méline de 1892 est largement destiné à satisfaire les ruraux, au détriment du salariat urbain.

La société rurale reste contrastée. Les petits exploitants fournissent les principales victimes de la mauvaise conjoncture de la fin du XIXᵉ siècle, tandis que le nombre des salariés agricoles diminue. À l'autre bout de l'échelle, quelques très gros paysans continuent de dominer les villages et s'efforcent de transformer leur pouvoir économique en pouvoir municipal. Entre les deux se trouve l'essentiel de la paysannerie, qu'elle soit ou non propriétaire.

Globalement cependant, la vie de tous s'est modernisée. On mange mieux (c'est-à-dire moins de châtaignes et de céréales pauvres, plus de pain blanc, plus de sucre), on boit davantage de café et de vin (ce qui entraîne, notamment dans l'Ouest, une forte poussée de l'alcoolisme). On s'habille mieux, et de plus en plus souvent en fonction de modes urbaines que la machine à coudre permet d'imiter au moindre coût. On consacre un peu plus de soin à sa maison et à son intérieur (la pendule se diffuse partout). Seul point vraiment noir : l'état sanitaire (les campagnes sont, en 1914, en retard par rapport aux villes), qu'aggrave, en 1892, la disparition des officiers de santé, jusqu'alors relativement nombreux dans les campagnes. Le niveau culturel des ruraux s'améliore sensiblement en raison de la politique scolaire des républicains. Alors qu'on peut estimer que la moitié des Français ne parlaient pas français vers 1863, le nombre des Français non francophones a littéralement fondu entre 1880 et 1914. L'École de la République a joué ici un rôle éminent, en imposant une norme culturelle exigeante (celle du programme du «certificat») et en valorisant l'utilité de l'instruction.

Les moyens de communication se sont améliorés et favorisent de leur côté le désenclavement commercial et culturel. La conscription, généralisée en 1889, modifie à son tour le rapport à l'espace originel. Elle fait faire à tous les ruraux une expérience de la vie urbaine, diffuse parmi eux des habitudes de citadins (tabac, viande rouge), suscite souvent un sentiment de honte, parfois même le désir d'exode rural.

➔ Le monde ouvrier

En 1914, en France, le monde ouvrier continue de peser moins lourd que la population agricole : il y a trois ouvriers pour quatre paysans. Christophe Charle note fort justement que l'exode rural n'a guère plus nourri le secteur secondaire que le secteur tertiaire (entendu bien sûr au sens large, domestiques compris). Il n'empêche que la question ouvrière est passée au premier plan des préoccupations des contemporains, et que la visibilité du mouvement ouvrier n'a pas son équivalent rural.

À l'intérieur du monde ouvrier, les clivages internes ne s'atténuent pas, mais au contraire tendent à se renforcer. Les différents types d'entreprise créent des types différents d'expériences ouvrières. L'ouvrier d'usine se rencontre surtout dans les charbonnages, la métallurgie lourde et, en partie, dans le secteur automobile. L'ouvrier de la toute petite entreprise artisanale reste relativement important, et le contour est flou entre cet ouvrier-là et le tout petit patron. À cela s'ajoute le maintien de l'échelle géographique des salaires. L'ébéniste parisien gagne 8 F par jour quand la délaineuse de Mazamet gagne tout au plus 1,5 F. Enfin, la classe ouvrière connaît une division nouvelle : la division nationale. L'immigration d'Italiens (dans le Sud-Est et en Lorraine) ou de juifs d'Europe orientale (à Paris) ranime la xénophobie à l'intérieur des catégories populaires. Les violences collectives contre les «ritals» prennent parfois des formes graves, comme à Marseille en 1881, ou à Aigues-Mortes en 1893, et cela malgré l'internationalisme officiel des mouvements socialistes. Ces divisions contribuent du reste à saper considérablement l'efficacité revendicative du mouvement ouvrier.

La condition ouvrière reste difficile. Les budgets font apparaître la part toujours très importante de l'alimentation (près des deux tiers). La part du logement est faible (on continue pour l'essentiel à vivre hors de chez soi, dans la cour, la rue ou l'estaminet), celle de l'épargne très faible : l'essentiel reste de survivre. Quelques modifications se dessinent cependant, pour le meilleur et pour le pire. À la Belle Époque, la mortalité infantile diminue, la journée de travail se raccourcit, la promotion intergénérationnelle se renforce, l'accès des ouvriers à l'information ou à l'instruction se fait un peu plus facile. En sens inverse, plus que dans les pays voisins, l'alcoolisme et la tuberculose font des ravages chez les adultes. Les trajets s'allongent entre le lieu de travail et le domicile. L'O.S. moderne apparaît et, avec lui, une nouvelle conception du travail sur machine, jusqu'alors réservé à un ouvrier très compétent, et désormais confié à un manœuvre sans aucune qualification.

La protestation ouvrière prend plusieurs formes. Le mouvement des grèves, lancé à la fin du Second Empire, se renforce sous la IIIᵉ République, surtout après 1890, et s'épanouit dans la décennie 1900. À partir du tournant du siècle, les grèves se mettent à concerner prioritairement les ouvriers de la grande industrie. À partir de 1906, la perspective d'une grève générale ne paraît pas impossible. La grève est protestation contre la faiblesse du salaire, contre l'excessive durée de la journée de travail, et, de plus en plus souvent, contre les progrès de la discipline industrielle ; les contremaîtres, généralement exécrés, sont des cibles fréquentes, comme à Limoges en 1905. Même si le patronat refuse le plus souvent de négocier avec des grévistes, qu'il considère comme des rebelles (des quasi-délinquants), les grèves ont un effet globalement positif sur la condition ouvrière. On notera cependant qu'elles sont rares chez les plus mal lotis, en particulier les femmes.

Une autre manifestation d'une prise de conscience ouvrière est la syndicalisation. Même si son taux est faible par rapport à l'Allemagne ou l'Angleterre (en France, les plus défavorisés, non syndiqués, restent soumis à la pression patronale brute), elle progresse dans l'élite ouvrière, à la Belle Époque, au profit du syndicalisme révolutionnaire ou anarcho-syndicalisme, celui de la C.G.T., du moins jusqu'en 1908 (ensuite les effectifs stagnent). L'idéal réformiste domine cependant certains corps de métier (les mineurs, les typographes) et les employés les plus proches d'eux (les cheminots, les postiers).

→ Les domestiques

La France de la Belle Époque compte encore un million de domestiques, femmes pour la plupart, les hommes ne se rencontrant plus guère que dans les grandes maisons. D'une façon générale, malgré ses duretés et ses horaires, le métier est relativement attractif jusqu'au tournant du siècle. Il vaut mieux être domestique en ville, que fille de ferme ou ouvrière en filature. D'où l'afflux à Paris de centaines de jeunes Bretonnes qui viennent se placer le temps de se constituer une dot. Ensuite, l'offre commence à battre de l'aile, avec la concurrence d'autres emplois tertiaires féminins (prostitution comprise), l'amélioration relative de la condition ouvrière, la fin de la surpopulation des campagnes, l'acculturation démocratique aussi, qui rend très répulsif le service de la personne. Très mal vus des ouvriers, des syndicalistes, de la gauche en général, qui les considère comme des traîtres sociaux en situation d'aliénation aiguë, les domestiques sont également considérés avec une méfiance croissante par leurs employeurs, qui leur reprochent leur indiscrétion, leur paresse et leur propension au «coulage», et se mettent à fantasmer sur leurs prétendues perversions.

Il est vrai que la prostitution se développe et se diversifie en raison du recul du réglementarisme. La maison close cesse d'être le modèle dominant, au profit de formes plus discrètes, plus ambiguës, moins abruptement vénales. La loi très libérale du 17 juillet 1880 sur les débits de boisson entraîne une poussée immédiate de la prostitution de cabaret. Beaucoup d'ouvrières sous-payées se font péripatéticiennes d'occasion. En même temps, des fantasmes débridés (où les médecins ont leur part) désignent la prostitution comme un danger social et national: le «péril vénérien», signe de décadence et de dégénérescence, hante toute la fin du XIXe siècle.

Le foisonnement culturel de la fin de siècle et de la Belle Époque

A– Crise et renouveau de la spiritualité

1. Une déchristianisation sensible

La pratique religieuse continue à décliner. Dans certaines régions ou certaines villes, même les gestes « saisonniers » sont affectés par la décrue, et l'on peut alors parler de déchristianisation. C'est le cas dans les paroisses minières du Nord, dans la première décennie du XXᵉ siècle. Il est clair que la politisation à gauche joue ici un rôle essentiel, elle-même favorisée par la forte collusion de l'Église et du patronat. Paris, passé du jacobinisme communard à la droite nationaliste, connaît une évolution similaire. Les enterrements civils y passent de 22,2 % à 29,6 % entre 1882 et 1913 avec, il est vrai, de fortes variations spatiales. Les pays très détachés dès le milieu du XIXᵉ siècle deviennent dans certains cas (Limousin, Charentes) de véritables déserts spirituels. Pour l'ensemble de la France, le nombre des ordinations est divisé par plus de deux entre 1901 (1 733) et 1913 (825).

2. Les signes du renouveau

Pourtant, on peut percevoir les signes d'une légère reprise dans les années qui précèdent immédiatement 1914. D'abord, la ferveur des fervents résiste bien. En Aveyron, en 1914, plus de 50 % des hommes font leurs pâques (90 % des femmes), et le taux de vocations sacerdotales y est neuf fois supérieur à la moyenne nationale. Mieux, quelques « mauvais pays » (Châlons, Bourges) voient se redresser la courbe de leurs pascalisants masculins. Un peu partout, le catholicisme saisonnier tient bon : on fait baptiser ses enfants, on se marie à l'église, la première communion reste une fête très importante qui marque l'entrée dans l'adolescence et, pour les plus pauvres, dans le monde du travail.

Par ailleurs, l'Église renforce son rayonnement social par le biais des patronages paroissiaux. Ils prennent leur essor après 1890 (surtout après 1900), en développant des activités extra-religieuses (gymnastique, football) qui leur permettent de reconquérir, du moins en apparence, une partie de la jeunesse masculine. Enfin, la religion sulpicienne s'épanouit dans le pèlerinage de Lourdes qui attire plus d'un million de visiteurs en 1908. Cet immense succès est dû au caractère de la religion qui s'y manifeste, à la fois orthodoxe (le pape approuve pleinement), et populaire (on attend une guérison miraculeuse).

On peut même parler de renforcement spirituel. Celui-ci se manifeste par le renouveau de la prière, où se lit la recherche d'une vie intérieure ; par la fréquente communion ; par l'irruption mystique, dans la France de Sadi Carnot et de Félix Faure, d'une Thérèse de Lisieux, entrée au Carmel à 15 ans, morte de tuberculose à 24 ans, révélée après sa mort par la publication de ses Carnets, avant d'être canonisée en 1925.

→ **La rupture avec le positivisme scientiste**
Dans le même temps, le catholicisme bénéficie d'un net changement d'atmosphère spirituelle dans les élites qui, après 1880, rompent souvent avec le positivisme scientiste des décennies précédentes. On assiste alors à des conversions spectaculaires, et la Belle Époque voit une flambée de littérature catholique. Pourquoi ce phénomène ? D'abord, la transcendance est valorisée par l'évolution de la littérature vers le symbolisme et le décadentisme, comme par l'ouverture du champ des curiosités à certaines esthétiques étrangères à forte tonalité religieuse. Ensuite, il est clair que le positivisme s'use après 1890.
Le rôle de Bergson est ici bien connu. Il restaure les valeurs de la vie et souligne les limites de l'abstraction scientifique ou du kantisme. Ses disciples, Blondel et Boutroux, vont dans le même sens, refusant de séparer la philosophie de la religion, et les deux de la vie même. Dans ces conditions, il n'est pas étonnant qu'une fraction importante de la jeunesse intellectuelle se soit sentie attirée par la religion, dans le même temps où, rebutée par l'hypercriticisme et l'hyper-intellectualisme de la génération précédente, elle est également attirée par le sport, l'action et la patrie. Alors que la pratique religieuse était quasiment nulle rue d'Ulm vers 1900, un tiers des normaliens de 1913 vont à la messe.

→ **Le nouveau rôle des laïcs**
Ainsi se manifeste un rayonnement accru du catholicisme. Les laïcs ont du reste un souci nouveau d'action dans le siècle, qui cherche à tenir compte des erreurs accumulées. C'est très sensible chez un Léon Harmel, industriel de la région de Reims, qui s'efforce, en développant des œuvres très variées, d'améliorer la condition

ouvrière dans son usine du Val-des-bois, à la devise relativement démocratique : « le bien de l'ouvrier par l'ouvrier et avec lui, jamais sans lui et à plus forte raison jamais malgré lui ». En même temps, il cherche à sensibiliser les séminaristes aux questions industrielles et soutient ainsi les premiers pas de la démocratie chrétienne (décennie 1890). C'est très sensible aussi dans ce qu'il est convenu d'appeler la « première Action catholique », c'est-à-dire tout un ensemble de mouvements, de syndicats, de coopératives, de cercles d'études (économiques et théologiques) qui apparaissent du tournant du siècle. Au cœur du système, assez foisonnant, on trouve d'abord l'Association Catholique de la Jeunesse Française et, sensiblement différent, le Sillon, mouvement créé entre 1893 et 1899 par Marc Sangnier.

Cela dit, malgré ces efforts, ces richesses et ces promesses de renouvellement, l'Église a bien du mal à s'adapter au monde moderne. On le voit bien dans sa nostalgie d'un autrefois mythique, dans son malaise à l'égard de la société industrielle, dans le soutien actif qu'elle apporte au régionalisme et aux patois, dans son antilibéralisme renforcé. D'autre part, il est clair que les catholiques français sont marginalisés dans leur propre pays. L'administration républicaine multiplie les vexations : changements agressifs de noms de rue, interdictions de processions, affaire des fiches prouvant le contrôle de la pratique religieuse des fonctionnaires. Quant à la conception catholique de l'enseignement, elle est heurtée de plein fouet par la laïcisation de l'enseignement public, mais également en crise dans l'enseignement privé lui-même. Celui-ci vit sous la menace, au temps du combisme, d'une disparition totale. Il perd des élèves, a des difficultés financières croissantes ; de plus il n'a pas toujours des maîtres du niveau des enseignants du public.

→ La crise moderniste

Mais c'est au cœur de l'appareil ecclésial lui-même que se manifeste le mieux la tragédie de l'Église, lors de l'épisode fameux de la crise moderniste. Le débat science contre théologie, philologie contre dogme est refusé par l'Église. Pour elle, il n'y a qu'une science (contre les sciences qui sont fausses) : la théologie. C'est entre 1893 et 1907 que la crise est ouverte. Un professeur d'Écriture sainte à l'Institut catholique, Alfred Loisy, nie l'immutabilité des dogmes, rappelant que celui de l'Immaculée conception de la Vierge Marie, défini par Pie IX en 1854, était expressément nié par saint Thomas d'Aquin. Le scandale a tôt fait d'éclater. Loisy persiste et signe, dénonce la lecture littérale de l'Ancien Testament, ce qui lui vaut d'être chassé de l'Institut tandis que l'encyclique *Providentissimus Deus* de 1893 proclame l'« inerrance totale de la Bible ». Loisy, soutenu par un petit groupe moderno-progressiste, poursuit ses recherches dans le silence et publie *L'Évangile et l'Église* en 1902, ouvrage par lequel il invite à une « interprétation nouvelle des anciennes formules ». Sa pensée est formellement condamnée en

1907 par l'encyclique *Pascendi,* et lui-même est excommunié l'année suivante. La République lui accorde alors une chaire au Collège de France. Cette crise moderniste s'achève donc par le triomphe de l'intégrisme, c'est-à-dire la victoire de la tradition et de l'argument d'autorité.

B – Modernisation des comportements et des croyances

1. L'acculturation des masses

Il est clair que la révolution scolaire de Jules Ferry a eu de grosses conséquences sur la culture populaire. En unifiant la Nation au détriment des particularismes locaux et régionaux, en enracinant la République, en valorisant la science, l'école a accentué tout à la fois le détachement religieux, le patriotisme et le goût de la politique. Cela dit, tous les enfants ne passent pas par l'enseignement public. Le privé scolarise 17 % des élèves de l'enseignement primaire, et les valeurs qu'il leur transmet ne sont pas précisément celles de la République radicale.

C'est aussi à la révolution scolaire que les français de la belle époque doivent de lire et d'écrire bien davantage qu'ils ne le faisaient un siècle plus tôt. La culture populaire est bel et bien fondée sur un certain nombre de lectures scolaires : le manuel d'histoire de lavisse (ou « petit lavisse »), centré sur la révolution française, axe autour duquel tourne toute l'histoire de france ; *Le tour de la france par deux enfants,* qui permet de dresser l'inventaire des richesses matérielles et humaines de la patrie tout en rendant sensible la catastrophe de 1871 ; à quoi on ajoutera les poésies apprises en classe, où voisinent paul déroulède et victor hugo.

Les loisirs populaires, que les socialistes cherchent à allonger, tendent à se moderniser. Ils sont d'abord liés au journal à un sou, à son supplément illustré et à ses feuilletons, lus avec passion. Mais la Belle Époque voit également l'apparition d'autres loisirs. Si le mélodrame décline, si le théâtre de boulevard, avec des canevas sans surprise hérités de Labiche, a un public désormais surtout petit-bourgeois, la guinguette hors les murs continue à faire danser les ouvriers le dimanche, le café-concert, né sous le Second Empire, connaît un grand développement et le cinéma s'impose entre 1895 et la guerre. La culture populaire qui se met ainsi en place repose sur un petit nombre de registres stables (patriotisme antigermanique, gaudriole, burlesque, exotisme), sans grand contenu social ou politique, en dehors d'un éventuel populisme.

2. Le début de la démocratisation du sport

Jusqu'aux années 1870, le sport (mot anglais) est réservé à une toute petite élite, celle qui pratique l'escrime, l'équitation et la chasse à courre; les premières courses cyclistes (1868), les premiers matchs de rugby (1872) ne concernent que le meilleur monde. La défaite de 1870, le nationalisme revanchard, le climat intellectuel des années 1880 créent une obsession de la dégénérescence physique. Ce climat explique, à deux niveaux différents, l'obsession scolaire de l'exercice physique de type militaire (des bataillons scolaires fonctionnent entre 1881 et 1892), et l'ambition qu'a l'aristocrate Pierre de Coubertin de «rebronzer une jeunesse veule et confinée». Tout cela favorise une première diffusion sociale des activités physiques.

Après 1900, la diffusion se fait plus large encore. Les patronages catholiques ont des activités essentiellement sportives et footballistiques. Les protestants, piqués au vif, créent le scoutisme français en 1911, et les notables radicaux du Sud Ouest soutiennent les premiers développements du rugby. La bicyclette se démocratise, et le tour de France, lancé en 1903, devient vite populaire. Des clubs de football apparaissent en banlieue rouge (1907). La grande presse se met à tenir des rubriques sportives régulières.

3. Le tourisme

Ne concernant qu'un petit nombre, il affecte désormais la côte d'Azur, lancée par des Anglais venus y goûter la douceur de l'hiver, et soutenue ensuite par l'aristocratie russe. Cannes quadruple sa population entre 1861 et 1911. Nice, stimulé par l'annexion, le chemin de fer (1864), la proximité du casino de Monte Carlo, compte 22 000 touristes de longue durée en 1887, et des célébrités en font leur villégiature de prédilection (la reine Victoria de 1895 à 1899, le roi Léopold II de Belgique). L'apogée de la saison est le carnaval, avec sa bataille de fleurs du lundi gras. Pour le reste, la vie y est faite des mêmes ingrédients que dans les autres stations élégantes: promenades, activités sportives, mondanités, soupers et bals.

4. L'évolution de la vie familiale

Le malthusianisme marque profondément la vie familiale des classes moyennes. Instituteurs, employés, petits commerçants, qui veulent permettre une ascension sociale à leur progéniture, ont généralement une famille limitée à un ou deux enfants. Les familles nombreuses ne se rencontrent plus que dans une partie du peuple (la paysannerie catholique, la classe ouvrière la moins politisée) et dans une partie des élites (le patronat catholique, une partie de la noblesse). Mais même dans les milieux et les régions les plus natalistes, elles sont en recul. Pour

143

Edward Shorter, à travers ce phénomène, qui témoigne d'une diffusion désormais générale des méthodes contraceptives *(coitus interruptus;* plus rarement, préservatif), apparaît une petite révolution de la sexualité et du couple : on serait passé, dans la seconde moitié du XIXᵉ siècle, d'une « sexualité de procréation » à une « sexualité de récréation ». La thèse est actuellement contestée. D'une façon générale, la sexualité de la femme fait peur (on croit que la jouissance féminine entraîne l'hystérie), ce qui explique le maintien à un niveau très élevé de la prostitution et des frustrations. La tolérance à l'hédonisme ne va pas non plus jusqu'à l'acceptation de l'homosexualité, surtout de l'homosexualité masculine, dont la stigmatisation médicale et policière a été renforcée au temps du Second Empire. Quoi qu'il en soit, la condition de la femme commence à évoluer. Le travail féminin est plus poussé en France que dans les pays voisins. Les programmes de l'école primaire, quasi identiques pour les garçons et les filles, favorisent un rapprochement culturel des sexes ; les lycées de jeunes filles, même s'ils ne préparent pas officiellement au baccalauréat, font des bourgeoises cultivées ; certaines femmes peuvent accéder à des diplômes ou des métiers masculins (la presse des années 1900-1914 s'intéresse beaucoup à ces premières femmes-médecins, premières avocates, premières ulmiennes). La question de l'émancipation juridique et politique des femmes est posée dès la fin du XIXᵉ siècle, mais la gauche, on l'a vu, est très réservée sur ce sujet, tandis que la droite catholique n'est pas naturellement encline au féminisme. Le résultat est que celui-ci est en France confiné dans des groupuscules très minoritaires, où seules les protestantes jouent un rôle important. La femme, en résumé, dispose d'un peu plus d'autonomie lorsqu'elle travaille. Elle peut compenser ses frustrations d'une coquetterie accrue : *Le petit écho de la mode,* lancé en 1878, invente le patron de papier en 1893, et elle parvient, à la fin de la décennie 1900, à se libérer du corset (tout un symbole !). Elle accède à la bicyclette et à la jupe-culotte. Il n'en demeure pas moins que son salaire est, dans l'ordre matériel, toujours très inférieur au salaire masculin, et que son espace propre reste, dans l'ordre symbolique, fortement dominé.

5. Les transformations de la ville et de l'habitat

Les plus importantes transformations urbaines de la fin du XIXᵉ siècle ont pour origine la généralisation des transports en commun. On se souvient que des lignes d'omnibus à cheval avaient été créées dans les grandes villes sous la monarchie censitaire. Au tout début des années 1870, après bien des débats, apparaissent à Paris des omnibus sur rails (mais à chevaux), les « tramways » ; le rail permet d'allonger sensiblement la voiture tractée. Ces lignes sont électrifiées à la fin des années 1890 ; la vitesse augmente alors de 25 à 50 %. Le métro parisien est inauguré en 1900. Les premiers autobus apparaissent à la fin de la décennie 1900.

Au fur et à mesure que l'offre de transports se développe, elle se démocratise. Le centre de Paris perd en effet à la fois sa fonction industrielle et sa fonction résidentielle. Il est massivement investi par les sièges sociaux, les grands magasins, les services publics. Les employés qui y travaillent habitent dans les arrondissements périphériques (le xIVe, le xVe, le xVIIIe), bien reliés au centre par les réseaux nouvellement mis en place.

Enfin, la révolution des transports entraîne le développement des banlieues. Les activités industrielles sont graduellement expulsées hors de Paris. Les ouvriers qui continuent de travailler à Paris peuvent habiter loin de leur lieu de travail, à partir du moment où leur sont consentis des tarifs préférentiels (abonnements) de chemin de fer et de tramway; ce phénomène est surtout sensible après 1900. Ainsi se modifie durablement l'image de la banlieue (que l'on ne confondra pas avec l'ancien faubourg). Alors que sous le Second Empire, comme dans la peinture impressionniste, on y trouvait surtout des bourgeois et petits-bourgeois retirés des affaires, la banlieue de la Belle Époque est de plus en plus ouvrière et industrielle. Le retard de la « zone » en matière d'aménagements d'ensemble et d'équipements collectifs est d'ailleurs criant. Saint-Denis, bien étudié par Jean-Paul Brunet, est le type même de la périphérie déshéritée, au plan anarchique, aux rues grasses, aux maisons sales, aux industries dangereuses.

6. Paris, ville-lumière

Ce qui vaut au Paris de la Belle Époque son prestige international hors pair, c'est sa part exceptionnelle dans l'histoire des Expositions universelles. L'idée d'Exposition universelle est très caractéristique d'un xIXe siècle européen, optimiste et civilisateur, qui pense qu'on peut faire un spectacle de la richesse du monde, de la beauté de la science, de l'harmonie des peuples. Après les essais de 1855 et 1867, Paris, capitale d'une grande démocratie progressiste et lieu d'une véritable révolution urbanistique, accueille trois Expositions : celle de 1878, celle de 1889, celle de 1900, dans une sorte d'escalade de la démesure. L'Exposition de 1900 est d'ailleurs au cœur du mythe de la Belle Époque. On y trouve tout à la fois un élément de fédération civique (le banquet des maires de France réunit 20 277 personnes), la célébration pompier du passé et de l'avenir par un mixte d'architecture d'ingénieur et de néo-rococo (le Grand Palais), et un embryon d'industrie du loisir, où Barrès, dédaigneux, ne voit que « limonade et prostitution ».

C– Foisonnement des avant-gardes

Un mot pour commencer sur les effets les plus visibles de la politique universitaire des républicains.

1. Le rayonnement scientifique de la France

La France, auréolée du mythe de Pasteur, regagne à la Belle Époque une grande réputation scientifique. La Sorbonne se peuple d'étudiants et, indice de rayonnement, d'étudiants étrangers, notamment russes. Les universités provinciales sortent de leur torpeur en développant les sciences appliquées. Le Collège de France connaît une renaissance avec Henri Bergson en philosophie et Jacques Hadamard en mathématiques. Dans les sciences exactes, le succès est attesté par le nombre des prix Nobel : entre 1901 et 1914, la France, avec Becquerel, Gabriel Lippmann, les Curie, Paul Sabatier et quelques autres, arrive en deuxième position derrière l'Allemagne. En lettres, le renouvellement positiviste entraîne la transformation radicale d'un certain nombre de pratiques disciplinaires : en histoire avec la *Revue historique* de Gabriel Monod et l'hypercriticisme méthodologique de Langlois et Seignobos ; en géographie avec, sous l'influence du *Tableau de la géographie de la France* de Vidal de La Blache (1903), les premières grandes monographies régionales ; en histoire littéraire avec l'apparition du lansonisme, étude systématique des sources. Une discipline nouvelle apparaît, refondée, après Auguste Comte, par Durkheim et de jeunes agrégés de philosophie, la sociologie, qui vise à décrire le plus objectivement possible les sociétés humaines pour en soigner les différentes pathologies. La *Revue de synthèse,* fondée en 1900 par Henri Berr, vise à contrer la tendance dominante à l'atomisation et rencontre la curiosité du jeune Lucien Febvre. Gustave Le Bon, chercheur indépendant, publie en 1895 un ouvrage sur la psychologie des foules (sujet porteur en une époque qui craint de plus en plus les embrasements révolutionnaires), et parvient à intéresser le spécialiste viennois de ces questions, Sigmund Freud.

2. Paris, capitale internationale des arts

Brillante seconde en matière scientifique, la France de la IIIᵉ République est au premier plan artistique mondial. Paris est, depuis l'impressionnisme, la capitale internationale des arts, où affluent du monde entier de jeunes talents pleins d'ambition : Whistler, Van Gogh, Picasso, Gris, Chagall, Soutine, Mucha, Kupka, Modigliani, Mondrian, Brancusi, Lipchitz, Albeniz, Granados, Falla. Des cercles d'artistes et d'intellectuels francophiles se rencontrent un peu partout dans le monde. La prééminence de Paris en matière de littérature, de peinture et de sculpture est incontestable. Sa vie musicale connaît une explosion qui lui permet de rivaliser avec Vienne, et qui lui vaut d'accueillir régulièrement, après 1909, les Ballets russes et, en 1913, la première du *Sacre du printemps* de Stravinsky. Il n'y a guère qu'en architecture et dans les arts décoratifs que l'hégémonie parisienne puisse être contestée après 1900. L'Art nouveau se développe surtout hors de France, à Bruxelles, à Darmstadt, à Munich, à Vienne, à Prague. En France, la capitale est à cet égard moins dynamique que le Nancy de Gallé, de Majorelle et de la revue *Art et industrie*.

3. La révolution littéraire

Les années 1880-1914 voient d'importants bouleversements littéraires : apogée et crise du naturalisme ; montée en puissance du symbolisme et du décadentisme ; révolution proustienne du roman.

→ Le mouvement naturaliste

À partir de 1877, Zola anime le mouvement naturaliste, recevant chez lui, à Paris puis à Médan, un groupe d'écrivains (dont Maupassant et Huysmans) qui partagent ses goûts littéraires et ses opinions républicaines et anticléricales. La théorie est ambitieuse. Comme le racisme fin de siècle est la transposition du darwinisme dans les sciences humaines, le naturalisme est l'effort de transposition du positivisme dans la littérature, et plus particulièrement dans le roman. Il vise à décrire la société humaine avec le même degré de précision et de détermination que la zoologie décrit les espèces animales (en cela, il est l'héritier du projet balzacien), et doit à sa gestation des années 1860-1870 de s'intéresser au social comme il s'intéresse au médical, pour saisir ce qu'il y a d'organique dans le mental, et d'héréditaire dans l'individuel. Chez Zola, les années passant, tout cela s'accompagne d'un certain prophétisme politique. Les réalisations effectives sont souvent assez éloignées de la théorie zolienne du « roman expérimental » (1880). En fait, l'accord entre les hommes de Médan se trouve essentiellement dans les emprunts faits à Flaubert : même vision pessimiste de la nature humaine (dureté du monde social, absurdité de la vie et du hasard, force des instincts et des névroses, bêtise généralisée), même procédés narratifs (style indirect libre, platitudes recherchées, anéantissement final). Le groupe éclate dans le courant de la décennie 1880. Huysmans et une bonne partie du public se convertissent au spiritualisme, et Zola choque ses propres disciples, en 1887, par l'abjection des personnages de La Terre. Le bilan du naturalisme réside, pour l'essentiel, dans un élargissement du champ social romanesque aux basses classes et aux ouvriers, dans la intérêt accru pour la sexualité (qui fait d'ailleurs que, pour la critique catholique, Zola n'est qu'un pornographe) et, paradoxe pour une littérature qui se voulait républicaine et progressiste, dans une solide installation de la thématique décadentiste.

→ Décadentisme et symbolisme

Le décadentisme et le symbolisme prennent alors le relais. Ces mouvements sont séparés par la sociologie de leurs chefs de file et des rivalités de revues (le symbolisme a lancé plusieurs revues importantes, dont *La Revue blanche* des frères Natanson et *Le Mercure de France*). Ils ont en commun cependant un certain nombre de goûts et de valeurs, avant même la publication du manifeste de Moréas en 1886 : préférence accordée à la poésie sur le roman, culte de Baudelaire et de Verlaine, désir d'absolu contredit par une défaillance des énergies, morbidezza allant jusqu'au solipsisme ou au nihilisme anarchisant (le Des Esseintes d'*À Rebours*, 1884, en offre un excellent exemple). Le symbolisme, qui exerce une très forte influence à l'étranger, a en France une autorité tutélaire, le poète Stéphane Mallarmé. Il fournit aux jeunes poètes de ses « mardis de la rue de Rome » un certain nombre d'objectifs (tirer la poésie du côté de la musique, valoriser la suggestion au détriment du sens objectif), de lieux communs (l'« azur », l'« impollué ») et de procédés (la syntaxe serpentine, les hardiesses métriques, le mot rare), qui donnent à la poésie fin de siècle son caractère languide et chantourné. Les acquis sont incontestables : le vers libre et avec lui la possibilité du verset, la césure enjambante, l'indifférence croissante à la ponctuation. Ils permettent l'épanouissement, juste avant la guerre, de plusieurs grandes natures poétiques, héritières des symbolistes : Claudel (*Cinq grandes odes*, 1904), Saint-John Perse (*Éloges*, 1911) et surtout Apollinaire (*Alcools*, 1913).

→ La révolution romanesque

Le roman souffre d'un certain vide après que le naturalisme a épuisé l'essentiel de ses vertus. Maupassant meurt dès 1893, et Zola achève *Les Rougon Mac-quart* la même année. Il survit cependant encore chez beaucoup des auteurs lus dans la classe moyenne ou dans les œuvres primées par l'académie Goncourt (créée en 1900), et fait sentir sa marque dans le *Jean-Christophe* de Romain Rolland (1904-1912). D'une façon générale, le genre romanesque connaît une explosion. C'est le roman autobiographique avec Jules Renard, héritier triste et malicieux de Jules Vallès, comme chez Colette et Alain-Fournier ; c'est l'exotisme colonial et artiste chez Pierre Loti et Pierre Louÿs ; le roman psychologique, qui prend le contrepied de la physiologie zolienne et marque un retour aux hautes classes, avec Paul Bourget ; le roman à thèse, où l'on retrouve Paul Bourget (instruisant, dans *Le Disciple*, en 1889, le procès de la méritocratie républicaine), en compagnie des catholiques Henry Bordeaux et René Bazin, du nationaliste Maurice Barrès et de leur contradicteur républicain, Anatole France (*Histoire contemporaine*, 1896-1901).

La vraie révolution ne vient qu'en 1913, lorsque paraît *Du côté de chez Swann*, encore que cet ouvrage, ouverture d'un ensemble plus vaste, ne puisse véritablement conquérir son public qu'après la guerre. Il est vrai que le Marcel Proust de 1913 a de quoi effaroucher critique et lecteurs. Ce grand bourgeois parisien, marginalisé par sa santé fragile, ses origines demi-juives et son homosexualité, fait la synthèse de tous les types de romans du temps, de la philosophie bergsonienne du sens intime, et de la grande tradition des moralistes sombres du XVIIe siècle; son œuvre est tout à la fois l'initiation sociale, sentimentale et esthétique d'un narrateur, une satire drôlissime du monde, une vaste construction métaphysique centrée sur le temps, la mémoire involontaire et les correspondances enfouies du monde sensible. Chemin faisant, il met à bas les conventions du roman naturaliste, dissout l'autonomie des personnages, détruit à peu près toutes les frontières des genres littéraires et affirme la toute-puissance du point de vue par un style à longues phrases sinueuses, saturées de parenthèses et de métaphores, d'analyses et de rapprochements. Avec Proust, une intelligence fiévreuse revient au cœur de la littérature, et la littérature, religion d'un monde sans Dieu, au premier plan des créations humaines.

4. Les principaux courants de la peinture

En matière d'arts plastiques, le débat ouvert par la révolution impressionniste continue jusqu'au tournant du siècle. Le grand public reste longtemps réfractaire aux impressionnistes. La triade Prix de Rome-Salon-Institut se maintient, et l'avènement de la République stimule même assez fortement la peinture d'allégorie, c'est-à-dire le style pompier le plus rétrograde.

Cela étant, les artistes les plus exigeants continuent leur chemin, parviennent peu à peu à trouver un public ou des appuis (Clemenceau est l'ami de Monet) et dépassent même quelquefois les perspectives ouvertes par les années 1860. Aux effets du plein air s'ajoute l'influence des arts extra-européens. À partir de Meiji (1868), et surtout de l'Exposition universelle de 1878, on découvre les estampes japonaises («images du monde flottant», paysages abruptement cadrés et simplifiés, scènes quotidiennes très libres), et le japonisme influence Degas, Toulouse-Lautrec, les Nabis. Après 1890, les arts océaniens fascinent Gauguin et, à travers lui, ceux qu'on appellera bientôt les Fauves. Entre 1900 et 1910, la découverte de l'art nègre crée le choc dont sort le cubisme. Pour ce qui est de la technique picturale, Seurat pousse à l'extrême le refus impressionniste du contour en systématisant le recours à la touche de couleur pure, c'est-à-dire en inventant le pointillisme (1884-1891). Mais une révolution plus essentielle se joue au même moment chez Paul Cézanne, Vincent Van Gogh et Paul Gauguin.

Cézanne, après avoir participé aux premières expositions des impressionnistes, s'est retiré en Provence à la fin de la décennie 1870. Il est à la recherche d'une peinture qui, non contente de restituer ce qui se voit, intègrerait les grandes leçons de la tradition classique et donnerait la même impression de stabilité sereine que la peinture de Poussin. Refusant à la fois le retour en arrière et l'instantané tachiste, Cézanne fait œuvre originale, dans le paysage et la nature morte, par un mélange de solidité et de liberté. Il atteint à la célébrité internationale entre 1895 et 1906, date de sa mort.

Van Gogh, lui aussi installé dans le Midi à la fin de la décennie 1880 et lui aussi désireux de retrouver l'intelligible dans le sensible, utilise la couleur pure en épaisseur pour traduire son émotion intime devant l'objet représenté. Gauguin, enfin, aspire à quelque chose de neuf, de sensuel, d'intense et de «barbare», qu'il expérimente dans une peinture à grands aplats de couleur brute, puis dans la rupture physique avec l'Occident.

C'est entre 1905 et 1910 que se mettent en place les principaux courants de la peinture du XXᵉ siècle. 1905 est l'année de l'exposition parisienne des Fauves, jeunes peintres qui affirment leur goût des couleurs pures et font de l'espace peint un simple schéma décoratif (le plus célèbre est Henri Matisse). Picasso, arrivé à Paris en 1900, lance la révolution cubiste en 1907 avec *les Demoiselles d'Avignon*. Braque, d'abord heurté, le rejoint bientôt (le mot de cubisme est utilisé à propos de l'exposition consacrée par Kahnweiler à Braque en 1908).

Quant aux sculpteurs, très actifs pendant toute la période, ils sont dominés par la figure exceptionnelle de Rodin.

On notera que 1913 fut une année exceptionnelle dans l'histoire de la civilisation française. Qu'on en juge : publication de *Du côté de chez Swann*, publication d'*Alcools*, première de *Jeux* (de Debussy), inauguration du Théâtre des Champs-Élysées, première du *Sacre du printemps*, réalisation des *Fenêtres* de Robert Delaunay. Ce feu d'artifice autorise à ne pas surestimer la Grande Guerre dans l'histoire des grandes ruptures culturelles du XXᵉ siècle.

Conclusion

L a France a connu un xIxᵉ siècle incontestablement original. Son économie a progressé dans l'absolu, mais régressé par rapport à celle d'autres puissances (l'Allemagne ou les États-Unis). Sa relative stabilité sociale fait qu'elle se retrouve, en 1914, avec l'une des plus grosses paysanneries d'Europe occidentale, mais n'a pas empêché un recul beaucoup plus marqué qu'ailleurs de l'influence nobiliaire. Ayant expérimenté cinq régimes et stabilisé l'expérience républicaine, elle est devenue «le pays des citoyens» pour parler comme Thomas Mann, alors que la plupart des États européens sont des monarchies où se maintiennent des dynasties stables. Enfin, elle a réussi à conjuguer l'entrée dans l'acculturation démocratique et la survie d'une création brillante de type aristocratique.

La comparaison avec l'Allemagne est éclairante. La France est en retard pour tout ce qui touche aux capacités productives, à la recherche industrielle, à l'armement lourd, à la législation sociale, mais elle est en avance pour tout ce qui a trait à la citoyenneté, à l'intégration nationale, à l'art de vivre, à l'ouverture au monde. Ainsi s'explique l'envolée de Jouhaux sur la tombe de Jaurès, le 4 août 1914: «Empereurs d'Allemagne et d'Autriche-Hongrie, hobereaux de Prusse et grands seigneurs autrichiens qui, par haine de la démocratie, avez voulu la guerre, nous prenons l'engagement de sonner le glas de votre règne. Nous serons les soldats de la liberté pour conquérir aux opprimés un régime de liberté, pour créer l'harmonie entre les peuples par la libre entente entre les nations».

On le voit, les Français qui entrent dans la Première Guerre mondiale en août 1914 n'étaient pas pour autant devenus un nationalisme étroit. Les socialistes, de plus en plus influents, plaçaient très haut la paix et la solidarité entre les peuples; beaucoup étaient antimilitaristes, et ils venaient de faire campagne, aux élections de 1914, contre la loi des trois ans (votée l'année précédente). Surtout la très grande majorité des Français n'avait pas de rêve guerrier, ni même de désir de reconquête de l'Alsace-Lorraine. Jean-Jacques Becker a montré que le départ des mobilisés «la fleur au fusil» est un mythe. La plupart des témoins ont souligné que, lorsque le tocsin sonna, les sentiments dominants étaient la tristesse et la gravité.

Il n'y eut cependant que 1,5 % de cas d'insoumission, alors que les services compétents en envisageaient dix fois plus. C'est que la plupart des Français, en dehors d'une toute petite élite d'esthètes, avaient, depuis 1870, une image négative de l'Allemagne, menaçante, belliqueuse, politiquement archaïque et techniquement surarmée. C'est aussi que les Français de 1914 aimaient leur pays et étaient prêts à faire leur devoir, toutes opinions confondues, si celui-ci était attaqué.

C'est parce que la France était manifestement victime d'une agression extérieure que les Français se résignèrent à l'aventure qui clôt si tragiquement l'optimiste XIXᵉ siècle.

Conseils
bibliographiques

Ouvrages généraux

Jardin André et **Tudesq** André-Jean, *La France des notables 1815-1848*, 2 vol., Paris, Seuil, 1973.

Agulhon Maurice, *1848 ou l'apprentissage de la République 1848-1852*, Paris, Seuil, 1973.

Plessis Alain *De la fête impériale au mur des fédérés 1852-1871*, Paris, Seuil, 1973.

Mayeur Jean-Marie, *Les débuts de la IIIᵉ République 1871-1898*, Paris, Seuil, 1973.

Rebérioux Madeleine, *La République radicale? 1898-1914*, Paris, Seuil, 1975.

Leduc Jean, *L'enracinement de la République 1879-1918*, coll. « Carré Histoire », Paris, Hachette Supérieur, 1991.

Furet François, *La Révolution française, 1780-1880*, Paris, Hachette, 1988.

Agulhon Maurice, *La République de Jules Ferry à François Mitterrand*, Paris, Hachette, 1990.

Lequin Yves (éd.), *Histoire des Français*, xixᵉ-xxᵉ *siècles*, Paris, Colin, 3 volumes, 1984.

Histoire politique :

Rémond René, *La Vie politique en France*, 2 vol. (*1789-1848* et *1848-1879*), Paris, Colin, 1969.

Rémond René, *Les Droites en France*, Paris, Aubier, 1982.

Becker Jean-Jacques et **Candar** Gilles, *Histoire des gauches en France*, volume 1, *L'héritage du* xixᵉ *siècle*, Paris, La Découverte, 2004.

Rosanvallon Pierre, *Le sacre du citoyen*, Paris, Gallimard, 2001.

Aprile Sylvie, **Caron** Jean-Claude, **Fureix** Emmanuel (dir.), *La liberté guidant les peuples : les révolutions de 1830 en Europe*, Ceyzérieu, Champ Vallon, 2013.

Aprile Sylvie, **Huard** Raymond, **Lévêque** Pierre, **Mollier** Jean-Yves, *La révolution de 1848 en France et en Europe*, Paris, Éditions sociales, 1998.

Tombs Robert, *La guerre contre Paris 1871*, Paris, Aubier, 2009.

Mayeur Jean-Marie, *La Vie politique sous la IIIᵉ République*, Paris, Seuil, 1984.

Nora Pierre (éd.), *Les lieux de mémoire*, « la République », « la Nation », Paris, Gallimard, 4 vol., 1984-1986.

Barral Pierre, *Léon Gambetta : tribun et stratège de la République (1838-1882)*, Toulouse, Privat, 2008.

Ozouf Mona, *Jules Ferry : la liberté et la tradition*, Paris, Gallimard, 2004.

Winock Michel, *Clemenceau*, Paris, Perrin, 2011.

Candar Gilles et **Duclert** Vincent, *Jean Jaurès*, Paris, Fayard, 2014.

Histoire économique et sociale

Asselain Jean-Charles, *Histoire économique de la France du* xviiiᵉ *siècle à nos jours*, Paris, Le Seuil, 1984.

Juillard Étienne (éd.), *Histoire de la France rurale*, tome 3, *Apogée et crise de la civilisation paysanne, de 1789 à 1914*, Paris, Seuil, 1976.

Agulhon Maurice (éd.), *Histoire de la France urbaine*, tome 4, *La ville de l'âge industriel*, Paris, Seuil, 1983.

Charle Christophe, *Histoire sociale de la France*, Paris, Seuil, 1991.

Verley Patrick, *L'industrialisation*, Paris, La Découverte, 1989.

HISTOIRE CULTURELLE

Crubellier Maurice, *Histoire culturelle de la France*, XIXe-XXe *siècles*, Paris, Colin, 1974.

Rémond René (éd.), *Histoire de la France religieuse*, Tome 3, *Du roi très chrétien à la laïcité républicaine*, Paris, Seuil, 1991.

Cholvy Gérard, *La religion en France de la fin du XIXe siècle à nos jours*, coll. «Carré Histoire», Paris, Hachette Supérieur, 1991.

Perrot Michelle (éd.), *Histoire de la vie privée*, tome 4, *De la Révolution à la Grande Guerre*, Paris, Seuil, 1986.

Duby Georges et **Perrot** Michelle, *Histoire des femmes en Occident*, tome IV, *Le XIXe siècle*, Paris, Plon, 1991.

Corbin Alain, *L'avènement des loisirs, 1850-1960*, Paris, Flammarion, 2001.

Corbin Alain, *Le monde retrouvé de Louis-François Pinagot, Sur les traces d'un inconnu, 1798-1876*, Paris, Flammarion, 2002.

—

LES FONDAMENTAUX

LA BIBLIOTHÈQUE DE L'ÉTUDIANT

Collection créée par Caroline Benoist-Lucy

Dans la même collection :

Histoire